# De lach van Schreck

Grote ABC nr. 746

# Mensje van Keulen

# De lach van Schreck

Amsterdam · Uitgeverij De Arbeiderspers

*Een been in het graf*; *Alleen voor Morandi*; *Ladies and gentlemen, hello vampires*; *Het geraamte in de kast* en *Een doodkist op de schrijftafel* verschenen eerder in het cs van nrc *Handelsblad*.

De citaten uit *Dracula* (in *Ladies and gentlemen, hello vampires*) zijn uit de vertaling van Else Hoog.

De citaten uit *Wuthering Heights* (in *Het geraamte in de kast*) zijn uit de vertaling van Frans Kellendonk.

Omslagfoto: Mensje van Keulen
Omslagontwerp: Alje Olthof
Druk: Tulp, Zwolle

isbn 90 295 2498 7 /cip

Death's a good fellow and keeps open house

John Marston
(E.A. Poe in *Loss of Breath*)

# Inhoud

# Een been in het graf

De oorlogsverhalen waren nog lang niet verstomd of de koude oorlog bestookte de huiskamer, dreigend als een tijdbom.

Mijn vader nam ons mee naar Margraten. Ik liep naast hem en zag hoe in het witte woud van kruizen telkens het perspectief versprong. Toen hij stilstond, bleef ik ook staan. Ik vroeg hem iets en kreeg een onduidelijk antwoord. Ik herhaalde mijn vraag en hij zei niets meer. Ik keek omhoog, naar zijn gezicht. Nog nooit had ik hem zo ernstig en onbereikbaar gezien. Heel langzaam liet hij zijn ogen gaan over al die kruizen waarvan enkele zich onderscheidden door een bosje bloemen.

Op dat moment besefte ik waar ik me bevond, waardoor ik werd omringd. Ze leken op hem en op mijn jeugdige ooms en op de soldaat die we zaterdag een lift hadden gegeven, maar ze lagen onder de grond. En ik herinner me het gevoel van misselijkheid, terwijl ik hem verder zag lopen en mijn broertje hem achteropkwam.

Verdun, de Somme, de IJzer, Bastogne, Arromanches, Duinkerken: wat beweegt mannen naar die plaatsen – stuk voor stuk het bewijs van de verschrikkingen van een oorlog – te gaan kijken? De lust om de feiten van de geschiedenis voelbaar te maken? Ter plekke de beelden tot leven te wekken? De saamhorigheid met de slachtoffers? Het verlangen naar het scherp, op de rand van leven en dood? De opwinding die eruit voortvloeit en aldus overtuigt dat er in de gruwelen schoonheid schittert?

Ze kijken er om zich heen of ze hun eigen tuintje inspecteren. En het is of geen vrouw, al baarde ze een dozijn soldaten, hier deelachtig aan kan zijn.

Hitlers villa op de Obersalzberg werd door de Amerikanen afgebroken om een bedevaartsoord te voorkomen. Al heeft dat niet verhinderd dat er mensen naar de plaats toe trekken, het was een veelzeggende maatregel.

Wat te denken van het bordje *Bunker d'Hitler*?

Het staat in een Belgisch weiland, tussen grazend vee, als zo'n bordje dat de aandacht wil vestigen op een restaurant of de verkoop van aardappelen. Mijn reactie is: fout gelezen, het kan niet waar zijn. Maar bij de eerstvolgende afslag van de N5 hangt het, in een kleiner formaat, op de richtingaanwijzer, onder een bord met de naam *Bruly de Pesche*.

Mijn nieuwsgierigheid dwingt me af te slaan, al heb ik tegelijkertijd het gevoel dat ik iets verkeerds doe. Ik zie vrijwel meteen een jager lopen, wat ik niet bepaald een prettig gezicht vind. Even verderop zijn er nog twee, in camouflagegroen gestoken, bezig honden uit een busje te laten.

De weg voert door een eentonig, dicht bos. Bij de afslag naar Bruly de Pesche staat de bunker nog eens aangekondigd, ditmaal als *l'Abri d'Hitler*. Van hier is het, langs een café en een grotere uitspanning met de naam l'Abri, nog geen honderd meter naar de bunker.

De bunker van Hitler

Ik stap uit en word verwelkomd door een ijl trompetgeschal dat uit het woud klinkt. Onwillekeurig schiet ik in de lach.

Voor de ingang naar het terrein waar de bunker ligt, staat een groepje zigeuners lege Spa-flessen te vullen bij een fonteintje.

'Eén minuut,' zegt de kaartjesverkoper, een man met een rond gezicht dat op een afstand jeugdig lijkt, maar van dichtbij vol dunne rimpeltjes blijkt te zitten. Hij legt uit dat er gewacht moet worden op de bandrecorder die momenteel nog draait voor de voorgaande bezoeker.

Langs het paadje naar de bunker staat een stel uitstalramen. Ik bekijk de reproducties van foto's met Hitler, Hess, Goering, Keitel, en de kopieën van het Brusselse *Le Soir*, waarin verslag wordt gedaan van de gebeurtenissen op deze plek. Onderwijl klinkt van dichtbij, in het woud, de stem van Hitler, gevolgd door een Vlaams sprekende stem en een lied dat in elke taal gezongen kan zijn. Hierna is het stil. De kaartjesverkoper waarschuwt en de band begint opnieuw te lopen.

'Waarom kwam Hitler naar Bruly de Pesche?'

En dan in het Frans: 'Pourquoi Hitlèr...', et cetera.

'Omdat het dorpje zo goed in het bos verscholen lag.'

Alsof er een sprookje begint.

'Van hieruit zal de Führer de tweede fase van het offensief tegen Frankrijk leiden...'

Het fonteintje blijkt een bron te zijn: 'De bron van St. Meen, waarvan het zuivere water de genezing van huidziekten bevordert.'

De bunker – 'Hij staat recht voor u en trotseert de jaren' – heeft weinig van de lage, grijze bulten die uit de Haagse duinen steken. Hij is vijf meter hoog, steekt vier meter diep in de grond, bezit muren van twee meter dik, twee luchtgaten, en twee deuren 'met ingewikkelde sloten die slechts van binnen uit bediend kunnen worden'. Hij lijkt, ondanks een camouflage van houtwol, op een log elektriciteitshuisje.

Hitler heeft er geen gebruik van gemaakt. En geslapen heeft hij in een 'uitneembaar handhuis waarvan de standplaats nog te zien is'.

De bezoeker wordt uitgenodigd om, onder de blikkerig klinkende klanken van Wagner, naar het terras te gaan:

'Het terras dat de vorm heeft van een hoefijzer om het geluk aan te trekken... Hier namen de stafleden plaats om naar de Führer te luisteren.'

'Achtung...'

Het 'terras' is een weliswaar open, maar door omringende, hoge bomen overschaduwde plek. Het 'hoefijzer' is een leistenen bank, in een halve cirkel, met onregelmatig afgezaagde plankjes als rugleuning.

'Thans nodigen wij u uit de pijlen te volgen naar het zwembad.'

Zwembad of piscine, het is een kikkerbadje. Het heeft een diepte van een halve meter, een lengte van vijf meter en een zonderling model. Opnieuw een gelukssymbool? De stuntelige vorm kan voor van alles staan. Een cijfer, een dier, een zandloper; het ligt er maar aan van welke kant je het bekijkt.

De Nederlandse informatie is niet te verstaan, in

13

het Frans springt het woord 'tête' eruit. En ineens zie ik het: een vogelkop, het is een adelaar.

Aan het eind van de band die ongeveer een kwartier duurt, wordt de bezoeker nog gewezen op de ondergrondse verzetsstrijders van de Hotton-groep, die hun leven gaven voor de bevrijding van België.

De zigeuners tappen nog van de bron. In l'Abri, waar men een *sandwich bunker* kan bestellen, zit niemand. Voor het café verzamelen de jagers. De snoodaards. Wie doden wil, deugt niet en daarmee uit.

Zeventig kilometer naar het noorden op de N5 passeer ik de afslag naar Waterloo.

'De slag bij,' is het eerste wat ik denk, en in een hoek van het geheugen doemt een portret van Napoleon op. De tijd van tinnen soldaatjes; uit de tijd, maar mijn tienjarige zoon en zijn vriendjes spreken ze nog altijd aan. Waterloo is een begrip, een ander woord voor Victorie. Waterloo is legendarisch.

De legende begint waar de werkelijkheid een stapje opzij doet, en ik vraag me af in hoeverre de bunker te Bruly de Pesche een verkeerde stap in die richting gaat. Niet dat dit oord nou zo nodig zou moeten verdwijnen. Juist niet misschien, want het is alles bij elkaar een tekenend, knullig terreintje dat zo in jongensland past. Alleen, het wordt met een kritiekloze afstand die aan respect grenst behandeld en wie dat aanstaat, die zou er niet moeten komen.

. Een legende heeft iets sympathieks, bijna iets aardigs. Maar wat is er in vredesnaam aardig aan een veldslag?

Terloops vraag ik de meest uiteenlopende mensen

in mijn omgeving: 'Wat denk je als ik Waterloo zeg?'

Ik krijg niet veel meer te horen dan: 'Napoleon. Achttien vijftien. Wellington. Bonbon Napoleon. Waterlooplein. Waterloo station. Café Waterloo. Dat reclamefilmpje waarin de verzekeringsdeskundige Napoleon de slag afraadt. In Engeland heten kaplaarzen Wellingtons. To meet one's Waterloo. Every man meets his Waterloo at last.'

Een van de grootste angsten in mijn kinderjaren was de angst voor oorlog. Er kon geen vliegtuig overgaan of ik vreesde dat er bommen zouden vallen. Ik heb de hemel wat afgesmeekt om van die bommenwerpers gewone vliegtuigen te maken. 'Of als het echt niet anders kan, Jezus, Maria en alle heiligen, redt dan de aardige mensen en alle dieren!'

Een andere angst was dat er een been af moest. Er was de man met één been die in de buurt woonde en die, leunend op zijn krukken, van die schoppende stappen van anderhalve meter maakte. De zoom van zijn lege broekspijp was onder de tailleband gestoken, dat was nog het akeligst om te zien. Er was de jongen die zijn been onder de tram verloren had. Er was de eenbenige die ik wel eens op het strand zag, in een zwembroek. Hij liet zich in zee helpen en ging dan zwemmen. Ik vermoedde dat hij op zijn been stond en erop voorthinkte. Mijn eerste werkstuk op de lagere school ging over Michiel de Ruyter. Ik wist dat hij in de slag bij Elba om het leven was gekomen. Dat zijn been hierbij een rol speelde, vernam ik na het cijfer.

En hier, in de kamer waar Sir Alexander Gordon, Wellingtons vleugeladjudant, bezweek aan een afgeschoten been, buig ik me over een vitrine met een kunstbeen. Het behoorde toe aan Lord Uxbridge, opperbevelhebber van de cavalerie, die eveneens op 18 juni 1815, de dag van de slag, zijn been verloor.

Een lord droeg het, het droeg een lord. Het is niet moeilijk me voor te stellen hoe het moet hebben gepiept en geknarst wanneer de Lord kwam aangelopen, maar op zich is het een ingenieus, slank, handzaam ogend ledemaat. De dij bestaat uit een bruinleren kap, onderbeen en voet zijn van hout en koord. Er zitten gaatjes van houtwurm in. (Heeft de Lord het niet lang gedragen? Werd hij dikker? Deed het pijn?) De knie en de enkel zijn voorzien van een schroef. Een zachte doek met riempjes moest het been bovenaan op zijn plaats houden, en een band die aan de voorzijde is gespannen en met een gesp kan worden aangetrokken, voorkwam dat het naar achter klapte.

Na deze bijzondere prothese, is het of de andere voorwerpen in het museum, ooit een herberg waar Wellington zijn hoofdkwartier vestigde, mijn aandacht nauwelijks nog kunnen trekken. Ik zie ze wel: de meubels, de schilderijen en prenten van de slag, de portretten van Napoleon, Wellington, Blücher (met zijn in verband gewikkelde been op een stoel), de Prins van Oranje en andere vooraanstaande legerheren; de brieven, de persoonlijke voorwerpen als scheergerei of broek, het schaakspel met als stukken generaals en soldaten. En ik zie ook het wapentuig: het vuursteengeweer, het kromme zwaard, de sabel met gezaagde rug, de degen, de driesnedige hulsbajonet. Maar of het nou komt door de ordentelijke uitstalling in de authentieke, gepoetste vertrekken, veel

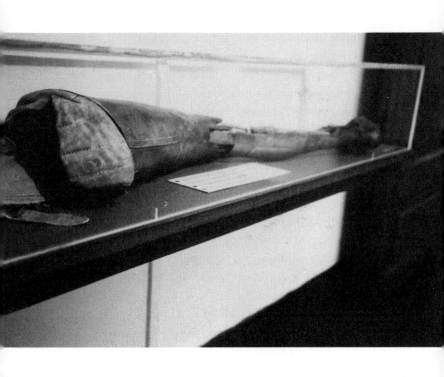

Het kunstbeen van Lord Uxbridge

meer dan de sfeer die in een antiekzaak hangt roept het niet op.

Dat is anders in de Zaal der verlichte Panelen, al ziet die er nogal onaantrekkelijk, als een informatielokaal voor scholieren, uit. In elf alkoven wordt de slag gevolgd aan de hand van ledepoppen, tunieken, weer de wapens, heelkundige gereedschappen, uitvergrote kaarten, teksten en citaten. Het zijn de citaten die me wakker schudden.

Kapitein Mercer: 'Zo dicht was de hagel van kogels dat het gevaarlijk was een arm uit te steken, uit vrees dat hij zou worden afgerukt.'

De zestienjarige vaandrig Leeks: 'Deze halve mondvol soep en een beschuit is alles wat ik de hele dag heb gegeten.'

Sergeant Wheeler: 'Wij hadden onze troost, wij wisten dat de vijand in dezelfde toestand verkeerde.'

Sergeant Ewart: '...hij trachtte mij in de buik te steken, maar ik pareerde zijn stoot en kliefde zijn hoofd; ...ik werd aangevallen door een van hun lansiers, die zijn lans naar me wierp maar miste doordat ik die met mijn zwaard wegsloeg... ik doorsneed zijn gezicht opwaarts vanaf de kin... Daarna werd ik aangevallen door een infanterist, die eerst vuurde en me daarna te lijf ging met zijn bajonet; hij verloor het gevecht al gauw want ik pareerde zijn stoot en dreef mijn zwaard door zijn hoofd.'

Een artillerieofficier: 'Vier of vijf paarden boven op elkaar zoals kaarten.'

Vaandrig Gronow: 'Het was onmogelijk zich een meter te verplaatsen zonder op een gewonde of dode kameraad te trappen.'

Dokter Charles Bell: 'Na vijf dagen vond ik de vreselijkste wonden zonder verzorging... Terwijl ik bezig was een been af te zetten, lagen er nog dertien die smeekten om aan de beurt te komen.'

De opmerking over Lord Uxbridge – 'Hij was steeds een man van distinctie, zijn hoed was naar de jongste ruiterijmode' – ontgaat me niet, maar zwaard, bajonet, karabijn, gewone kogels, kartetskogels en kanonskogels evenmin en die zien er, hoe smetteloos en veilig opgeborgen ook, niet langer uit als louter antiek.

Naast de uitgang van de zaal hangt ook nog een tekst: 'Deze tentoonstelling is door de Britse regering aangeboden. Ze betuigt haar dank voor het tapijt dat Britse tapijtfabrikanten beschikbaar stelden.'

Ontnuchterende woorden. Ik zie dat ik op van die vezelige tegels sta waarin paardehaar zit geperst.

1 × Waterloo in Nieuw-Zeeland.
   1 × Waterloo in Zuid-Afrika.
   1 × Waterloo in Sierra Leone.
   2 × Waterloo in Duitsland.
  12 × Waterloo in Engeland.
  16 × Waterloo in Australië.
  35 × Waterloo in Amerika.

Waterloo ligt in België. Hier, waar de taalgrens bepaalt dat in het dorp een slagerij Charcuterie heet en aan de rand ervan Beenhouwerij.

Hier, waar op de deur van een cilindervormig gebouw te lezen is: *Indrukwekkende grote kunstwaarde en volledige juistheid van geschiedkunde.* Een donkergroene gang voert naar een uitbundig geschilderd panorama van 110 meter in de rondte en 12 meter hoog: In volle vaart stort de Franse cavalerie zich op de vijand, maar de geallieerde carrés hakken en maaien ze weg en doorzeven ze met hun kanonnen, waarna de cavalerie van Wellington de rest afslacht. Op de achtergrond stormen nieuwe carrés als lemmingen op het bloedbad af. Uit de kanonnen en van de belegerde hoeven stijgen rookwolken op naar de bewolkte hemel. Op de voorgrond, in een laag zand, liggen de resten van kampvuurtjes, onderdelen van karren, paarden met gestrekte poten, en in een schuurtje, op wat stro, een soldaat met een rood gevlekte laars. Dit alles zeer realistisch verbeeld. Maar als het een foto van de werkelijkheid was, zou iedereen anders kijken.

Waterloo ligt hier, waar je de 226 treden van de Heuvel van de Leeuw kunt beklimmen. Dit onovertroffen monument, verrezen op de plaats waar de Prins van Oranje werd gewond. (Waar zijn de Nederlanders? Ik heb er tot op heden niet een gehoord noch een geel nummerbord gezien.) Met een woest kloppend hart en benen die het halverwege de trap al hadden willen opgeven, bereik ik de top.

Hier is het huidige panorama. Er is niets bijzonders aan de velden en akkers te zien. Wat hoeven, wat huizen, wat paarden, alles ligt er rustiek bij. De jongens en mannen met hun hoofddeksels, snorren, pluimen en vlaggen aan de lansen: ze liggen er allemaal onder. Vijftigduizend. *Vijftigduizend.*

De enige vertroosting voor zo'n plek is de gedachte dat de hele aardbol welbeschouwd een graf is.

De hoeven die betrokken waren bij de veldslag, zijn in

bedrijf en niet toegankelijk voor bezoekers. Alleen Le Caillou, waar Napoleon de nacht voor de slag doorbracht, is een museum.

'Hij had de afgelopen nacht niet geslapen', schreef Victor Hugo in *Les Misérables*.

Een Japanner schiet foto's van Napoleons veldbed. Verder loopt er niemand in de vier kamers. Wel ligt er iemand. Op tafel, in een glazen kist. Het is een skelet dat werd opgegraven bij een hoeve en dat aan de knopen die van zijn uniformjas restten, geïdentificeerd kon worden als een Franse huzaar. De knopen zijn in twee rijtjes aan weerszijden van de taille gelegd. Ze zijn dof, groen uitgeslagen, en lijken op de kogel die in een los bot zit dat naast het hoofd is gelegd. De kogel ligt in een holletje, als een noot in zijn schil. Het schokt me, en het schokt me nog meer als ik zie hoe gaaf, hoe jong de tanden en kiezen van de huzaar zijn. De arme drommel. Zijn oogkassen zijn gericht op het raam waarachter een balkon zichtbaar is. Het is het balkon dat lag aan de kamer van het hotel waar Victor Hugo in 1861 het hoofdstuk, gewijd aan Waterloo, schreef en waarin hij Napoleon 'de grote verwoester van Europa' noemt.

Beenderen die de ploeg uit het veld los woelde, liggen op een hoop in een knekelhuisje in de tuin. Wanneer ik me bij dat huisje omdraai en het balkon weer zie, valt me op dat er iets vreemds mee is: het is wel aan een muur gekluisterd, maar er komt geen deur op uit. Het heeft iets onthechts, ja, iets van een prothese.

Voor Victor Hugo werd in 1912, uit dank voor zijn *Les Châtiments* en *Les Misérables* een monument op-

gericht. Uit naam van de stichters zei de heer Fleisch-
mann hierover: 'Het zal getuigenis afleggen van de
zegepraal die de Gedachte op de Kracht behaalt, van
de onbeschrijfelijke overheersing die de Poëzie verze-
kert aan een verslagen natie over hen, die dank zij een
toeval dat henzelf met verdwaasdheid en verwonde-
ring sloeg, over haar zegepraalden.'

Enfin, er spreekt bewondering uit.

Het Pruisische monument is opgericht in 1819.

Het Franse monument, een aangrijpend beeld van
een arend die met gebroken vleugels een verscheurde
vlag verdedigt, in 1904.

Dat de monumenten dateren van voor de Eerste
Wereldoorlog, maakt ze nog droeviger.

Het Gordon-monument is in 1817 opgericht door
de 'ontroostbare zuster en vijf broers' van Sir Alexander Gordon.

In de kamer waar hij stierf hangt een kleine, inge-
kleurde gravure uit 1826. Centraal daarop staat de
Heuvel van de Leeuw, waaraan de laatste hand wordt
gelegd. Op de voorgrond kijkt een welgesteld echtpaar
toe, aangeklampt door een bedelaar met een houten
been, nee, een houten poot.

De Heuvel ligt achter het Gordon-monument.
Recht tegenover, aan de andere kant van de weg, ligt
het Hannoveraanse monument: boven een kuil waarin 4000 gesneuvelden en honderden paarden begraven liggen.

Eén naam tegenover enige duizenden naamlozen.
In het dodenrijk is het geen land maar stand die wint.
Dat ook.

Lord Uxbridge, die nog geen drie weken na de slag als de nieuwe Markies van Anglesey naar Engeland terugkeerde, liet Waterloo niet alleen zijn kunstbeen na.

Op een steenworp afstand van Wellingtons voormalige hoofdkwartier ligt een ommuurde tuin. Erin staat een klein bouwsel dat zo begroeid is dat het op het eerste gezicht een struik lijkt. Ik moet eromheen lopen om de steen met de inscriptie te vinden. Maar daar is hij, hij bestaat echt. Ik duw de takken die voor de bovenste van de zeventien regels hangen omhoog en lees: *Ci est enterrée la jambe / de l'illustre brave et / vaillant Comte Uxbridge /*

En ik kan het niet laten ter plekke te bedenken:

Hier ligt dan het been van een Lord.

De rest strompelde als markies voort.

Toen de chirurgen het zwaar verwonde been onderzochten, waren ze het erover eens dat een poging om het been te redden, het leven van de Lord in gevaar zou brengen. Een van zijn adjudanten schreef aan zijn moeder: 'Hij heeft niet één beweging of één klacht geslaakt tijdens de operatie, men hoefde zelfs zijn handen niet vast te houden. Op een gegeven moment zei hij heel rustig dat het instrument hem niet erg scherp leek. Toen het voorbij was, schenen zijn zenuwen niet in het minst geschokt en de chirurg constateerde dat zijn pols normaal was.'

De volgende avond werd Lord Uxbridge vervoerd naar het huis van de Markies en Markiezin van Assche. Soldaten droegen hem op een draagbaar die bedekt was met bladeren om hem te beschermen tegen de warmte. Hij begroette zijn gastvrouw met de woorden: 'Welnu, markiezin, ik zal alleen nog met een houten been met u kunnen dansen.'

Georgiana, de dochter van zijn zuster, schreef aan haar grootmoeder: 'Lord Uxbridge is gewoon niet meer op zijn plaats te houden; hij heeft genoeg van zijn bedden; hij heeft er vier en men draagt hem van het ene naar het andere... Vandaag heeft hij voor het eerst rechtop gezeten; hij verbaast iedereen.'

Het been bleef in Waterloo. Maar het was niet zomaar een been, het was een adellijk been. Op 10 juli schreef monsieur Paris, de eigenaar van het huis waar het been werd geamputeerd, aan Lord Uxbridge, Markies van Anglesey, dat hij het been in een kistje had gedaan. En uit eerbied voor de nobele Milord, verzocht hij om toestemming het ledemaat in zijn tuintje te begraven. Lord Uxbridge gaf hem zijn toestemming en een paar weken later schreef zijn nichtje Georgiana: 'Lieve grootmoeder, hoe kan ik vertellen wat er door me heen ging toen de dame ons, in de kamer waar hij naar toe was gebracht, de stoel liet zien waarop hij zat toen zijn been werd afgezet, met bloed erop, zijn laars die stuk was gesneden en het beddegoed, ook bedekt met zijn bloed [...]. Ze vindt het een hele eer dat ze zo'n held onder haar dak heeft gehad, en spreekt erover op een manier die uw hart zou verwarmen zoals het het mijne heeft verwarmd. Van het huis bracht ze ons naar het midden van haar aardige tuintje, daar waar zijn been is begraven; de plek was bedekt met onkruid dat we hebben uitgetrokken. De dame gaat er een steen met inscriptie plaatsen, die ze in Brussel heeft besteld.'

Toen de dichter Robert Southey in oktober het graf

Graf van het been

bezocht, was hij geamuseerd door het gedrag van monsieur Paris, de 'been-aanbidder' die hem langs de diverse attributen voerde en bij de laars van Milord opmerkte: 'Kijk toch eens, wat een klein voetje voor zo'n groot man.'

Monsieur Paris gaf Southey een kopie van het grafschrift dat de steenhouwer zou beitelen. Southey noteerde: 'Ik bood hem maar niet, in ruil, het grafschrift aan dat ik op hetzelfde onderwerp had gemaakt: "This is the grave of Lord Uxbridge's leg: Pray for the rest of his body, I beg."'

In 1821 begeleidde Wellington zelf Koning George IV in Waterloo. Over dit bezoek vertelde hij: 'Niets scheen Zijne Majesteit te interesseren; niet één keer stelde hij een vraag of zei hij iets, tot op het moment dat ik hem de plek toonde waar het been van Uxbridge begraven ligt, en daar barstte hij in tranen uit.'

Voorwaar, een gepaste reactie.

Het is niet alleen een been alleen, het is het zinnebeeld van een krankzinnige slachting.

# Muzikaal retour

De wandkast verdiende zijn naam dubbel en dwars, want hij deelde de kamer in een woon- en slaapvertrek en bezat aan beide zijden deurtjes en planken. Ik zat op de vloer aan de woonzijde en knipte uit geel, groen en blauw vilt de letters van de koning van de rock. Een oom die op Amerika voer, had zijn eerste langspeelplaat meegenomen en alle lichte muziek die ik tot dan toe had gekend, verdween als vertrouwd huisraad naar de achtergrond. Ik hoorde niet alleen andere muziek, ik hoorde muziek die iets anders opriep, met name gedachten aan zekere jongens in de straat. Ik was elf jaar en ik naaide de twaalf letters op de rechterpijp van mijn rode driekwart broek.

Welke naam moest er op de andere pijp?

Ik haalde de stapel platen onderuit de hoek van de kast. Benny Goodman, Glenn Miller, Chopin, Los Paraquayos, Doris Day, Richard Tauber, Kathleen Ferrier, Tango's 1 en Tango's 2. Ik legde Chopin bovenop.

Preludes. De preludes in mineur.

Woorden als weemoed, verlangen, hartstocht, zijn niet de woorden van een kind. Wel: pijn. Het was muziek die pijn deed, waar ik soms bijna niet naar durfde te luisteren. Alleen wanneer ik er 'ballet' op danste, kon ik de tranen bedwingen.

Er was het zaaltje in het clubhuis dat op een zondagmiddag vol buurtbewoners zat. Mijn naam stond op het feestprogramma, helemaal alleen moest ik op het podium dansen in een witte tutu. Doodsbang stond ik tussen het gordijn en de deur naar het kantoortje annex kleedkamer. Al die mensen, de gezichten van bekenden, ik zou vast uitglijden, ik zou vallen, ik zou uitgelachen worden... ('Zijn er ook kinderen die iets willen opvoeren?' Ik had mijn vinger al opgestoken. 'Ja ik, juf! Ik wil wel dansen...' en ik sprak die vreemde naam uit, '...op Chopin, juf.') Waarom had ik die domme vinger opgestoken? Ik zou zeker vallen, de tutu zou scheuren, de maillot ladderen, mijn familie zou zich schamen... Maar de eerste klanken van de vierde prelude vaagden alle zenuwen weg. En ik kwam op en improviseerde, in een roes, mijn dans. Een creatie die weinig overeenkomst zal hebben vertoond met de dans van de oude kabouter die ik in het balletclubje van de Franse juffrouw Nina de hele winter had moeten oefenen voor een lente-voorstelling in het Kurhaus.

De woorden die ik na mijn kindertijd aan de preludes verbond, betekenden nooit meer dan een aarzelende benadering van die zielsmooie muziek. Ik kan de pianoklanken elk willekeurig moment oproepen omdat ik ze als een eerste liefde al zo lang in mijn hoofd heb opgeslagen en koester. En wat ik nog altijd even sterk, zo niet sterker hoor en voel, is de weerklank van een duistere, onmetelijke droefheid.

Ik keek naar de hoes waarop schuin een klavier stond gedrukt en wist dat zijn naam niet op een broekspijp mocht.

Ik koos Kathleen Ferrier. Evenals de andere kinderen stak ik met veel toegevoegde a's en o's, de draak met opera, maar mijn vader was dol op Ferrier en niet op de smaak voor kleding die ik begon te ontwikkelen. Zo kreeg het mogen dragen van de broek een redelijke kans. Pas veel later zou ik zelf horen hoe uniek haar stem was. Dat ik ooit ontroerd zou raken door opera, had ik daar naast dat wandmeubel nooit geloofd. Ik knipte de letters uit. Geel groen blauw, geel groen blauw, geel groen blauw, geel groen blauw en geel groen blauw.

*

Het was een tempeltje met een verveloos hek. Binnen stonden, naast een kruisbeeld en twee kandelaars, een paar foto's waarbij alleen een portret van Olympe nog enigszins te onderscheiden viel. De huldeblijk bestond uit een plastic cyclaam en een even vale, plastic hortensia.

Hij lag er niet, ik wist het. Zijn overschot was naar Florence vervoerd. Ik kende de foto, genomen op 3 mei 1887, waarop de enorme lijkkoets is te zien die naar de Santa Croce wordt getrokken, te midden van notabelen, muziekkorpsen en een opeengepakte mensenmassa.

Zijn muziek was nog altijd populair. Menige melodie begeleidde te pas en te onpas variété-nummers, en films waarin W.C. Fields, Walter Mattheau, Jack Nicholson of Tom en Jerry de hoofdrol speelden. En geen mens keek om naar dit kale tempeltje. Hij lag er niet, maar negentien jaar lang had hij er wél gelegen en zijn vrouw Olympe aan wie hij als oude man nog een van zijn 'Péchés de ma Vieillesse' wijdde: *Une caresse à ma femme (semplice...affetuoso...litigioso...lusingando...affetuoso...semplice)* was achtergebleven.

'Ik neem eerst nog wat vogeltjes op,' zei de radio-verslaggever. Hij hield de microfoon omhoog, liet hem na een halve minuut zakken en vroeg toen op gedempte toon: 'Hoe ziet het graf van Rossini eruit?'

Ik zou een vers, opgedragen aan 'Signor Crescendo', voordragen. Iedere poging iets te bedenken op een leeg graf, was op niets uitgelopen. De regels: *U ligt wel in Florence / Toch eer ik u maar hier...* hadden zich telkens zo hardnekkig opgedrongen, dat ik had besloten te doen alsof de Maestro ter plekke aanspreekbaar was:

Mijnheer, zou ik u beter kunnen eren
dan met het mooiste instrument: de stem...?

Ik rijmde verder over zijn moeder, een bakkersdochter

met een mooie stem, en zijn vader, inspecteur bij het abattoir en trompetspeler. Daarna volgde een melodramatisch stukje waarvan ik dacht dat het strookte met Rossini's ironie, maar toen ik het later op de radio hoorde, was wel duidelijk dat zoiets andere kunstgrepen vereiste.

De radio is een aardig medium.

'Goedemorgen, luisteraars,' zei een respectabele heer die was uitgenodigd in de studio zijn muziekkeuze te draaien. 'Ik ben een groot operaliefhebber. U zult van mij vandaag dan ook veel opera te horen krijgen. Maar, luisteraars, géén Italiaanse opera.' En zijn stem verhief zich: 'Want daar houd ik ab-so-luut niet van!'

Hij schoffelde nog wat negatieve opmerkingen bijeen om het pad vrij te maken voor zijn voorkeur, een voorkeur waarin veel Mozart voorkwam. Ook de Don Giovanni die Berlioz in zijn autobiografie doet verzuchten dat hij er, vanwege de Italiaanse invloed, bijna een afkeer van heeft. En over Italianen was Berlioz niet mals: 'Zij willen partituren waarvan zij meteen, zonder na te denken, zonder er zelfs maar aandacht aan te besteden, de inhoud kunnen verwerken, net als van een bord macaroni!'

Zo zat er ook een keer een vooraanstaande mevrouw in die studio. Ze zei: 'Soms zeggen mensen me dat ze ook zo van klassieke muziek houden. Maar als dan blijkt dat ze van opera houden, nu, dan zakken ze voor mij o-gen-blik-ke-lijk in waarde.'

Lang leve de zotheid. Lang leve de opera buffa. Jammer dat Rossini geen Faust wilde schrijven; hoe fraai, hoe dubbelzinnig zou zijn hel zijn geweest.

De eerste opera die ik in zijn geheel hoorde, was de opera die Rossini componeerde toen hij achttien jaar was: *La Cambiale di Matrimonio*. Zelf niet veel ouder dan achttien, luisterde ik er, gedwongen door een prille liefde, de platen van de ander en een kleine behuizing, met een half oor naar. Ik wist niet beter of ik hoorde een nogal tragisch verhaal aan. Dat idee werd versterkt door het langdradige van het recitatief en een smartelijke uitroep als: 'Quanto sanque! Oh il brutto morto!'

Toen ik een paar jaar later een uitvoering van *La Cambiale* zag, bleek het een koddige vertoning. Ik was er, tot mijn genoegen, ingelopen.

Ik las de laatste povere regels voor de microfoon:

Ach, ik kan u slechts dit rijmelijding brengen,
geen schone zangkunst, geen toonkunstig spel.
Als 't u pleziert, wil ik best 'n traantje plengen...
Rust zacht mijnheer Rossini, ja, rust wel.

'Nog wat vogeltjes tot slot,' zei de verslaggever. En de band nam nog een halve minuut op bij het voormalige graf van Gioachino Antonio Rossini, rijk en succesvol, maar evenzeer bezocht door depressies, keelaandoeningen, koorts en katheters die soms achtenveertig uur moesten blijven zitten. De componist, geboren op een schrikkeldag, gestorven op vrijdag de dertiende, die van zichzelf zei dat hij geboren was voor de opera buffa.

# Maar dan anders

Een morsige taxi voert me door een drukke, mistige stad.

Morsig. Druk. Mistig. Woorden die direct verloren gaan als de portier de draaideur een zetje geeft en ik het Ritz binnenga. Hier zijn de kleuren, mede door de glans en schitter van spiegels, kristal, bladgoud en messing, o zo helder. Hier klinkt ieder geluid gedempt. En het personeel, links, rechts, achter de balie, is als een beschaafd bewegend meubilair binnen dit decor opgenomen.

Mijn kamer bevindt zich op de vijfde verdieping. De geruisloze lift, bekleed met spiegels en een gobelinachtige stof, doet er een paar tellen over. De stralend verlichte gang, met een dikke perzische loper en deuren en muren in pasteltinten, vertakt zich in een driesprong. Twee dienstmeisjes, klassiek zwart-wit gekleed, glimlachen professioneel, maar daarom niet minder aardig. 'Zacht' is het woord dat zich, als een streling voor elk zintuig opdringt. Ook mijn kamer, al bij de eerste indruk: zacht, stil, schoon.

Mijn koffer die ik op het laatste moment van een verdere reis in de achterbak heb kunnen behoeden, wordt door een bediende binnen gebracht. De man gedraagt zich of hij er niet is, waardoor ik zijn aanwezigheid nog sterker voel. Ik weet niet hoe ik daarmee moet omgaan. Stuntelig zoek ik een tien-francstuk.

De man neemt het beleefd glimlachend aan en laat het met een snel, bijna goochelend gebaar verdwijnen. Hij is al verdwenen als ik me afvraag of het niet te weinig was.

De wanden en het houtwerk van de kamer zijn in licht beige en twee tinten pastelgroen uitgevoerd. Hier en daar steekt er een barokke sleutel uit. Bij nadere beschouwing blijken het schakelaars voor verschillende lampen, de airconditioning en de verwarming. De voile voor de openslaande deuren heeft de kleur van champagne, evenals de zware beddesprei en de brokaten overgordijnen, gedrapeerd en bijeengehouden door brede sjerpen. Een tweede stel gordijnen heeft iets van de tint van het diepblauwe tapijt. Voor de spiegel boven de marmeren schouw staat een vaas met witte en vleeskleurige tulpen. De stelen zijn lang en recht, de bloemen vet en glanzend als marsepein, en ik denk: die kunnen niet echt zijn. Maar een kneepje met een nagel in een blad leert dat ze dat wel degelijk zijn. Met verbazing sta ik naar de Hollandse tulpen te kijken als de telefoon gaat.

De montere stem van de directie-assistent, een man met de wondere naam Helmut Profunser, heet me welkom en stelt voor elkaar in de bar te ontmoeten. Zou half drie schikken? Ik zeg, even opgewekt, dat het uitstekend schikt.

In de tijd die rest, besluit ik snel een bad te nemen.

Aan de wand boven de badkuip bevinden zich twee porseleinen trekkers aan metalen koordjes, met op de ene *knecht* en de andere *meid*. Badlakens en handdoeken hangen over warme, chromen buizen. Achter de deur hangen twee badjassen van verschillende maat. De kleur van al dit zachte badgoed is perzik, zodat de gast die er 's morgens eventueel niet zo prettig uitziet, in de weerschijn van deze kleur een gezonde teint heeft. De kraan van de wastafel stelt een zwaan voor met gespreide vleugels en opengesperde snavel. De kastjes links en rechts bestaan van binnen en buiten uit spiegels en beschikken over tien glazen plaatjes om spulletjes op te zetten. Naast kleinigheden als badschuim, zeep, naaigarnituur, staat er voor de gast een flesje eau de toilette Givenchy III.

In alle haast ontdek ik dat het ladenkastje in Louis XV stijl naast mijn bed, alleen maar zo'n kastje lijkt. Wanneer je aan een koperen ringetje van een laatje trekt, komt het hele frontje schuin naar voren en onthult een koperen plaatje waarop zich de afstandsbediening bevindt. Radio, tv, video, een knopje voor de schemerlampjes bij het bureau, een knopje voor de Venetiaanse kroonluchter, een knopje voor de luifel buiten.

Mr. Profunser is niet het door cursussen gepolijste type dat ik had verwacht. Hij is een jaar of vijfendertig, slank, draagt een goed gesneden kostuum, spreekt meerdere talen, is van Duits-Italiaanse afkomst en bezit een elegantie die je niet aanleert. Daarbij heeft hij een aantrekkelijk, jongensachtig gezicht.

Met respect spreekt hij over het hotel en de gasten, en met ontzag over de schrijfster Marguerite Yourcenar. 'Ik wil u iets laten zien...' Hij springt op. 'Eén minuutje!'

Even later keert hij terug met het gastenboek. 'Het komt uit de kluis,' zegt hij en hij laat me de eerste bladzij zien waarop het dankwoord is gericht aan de Egyptische zakenman Al Fayed, die het Ritz in 1979 voor 30 miljoen dollar kocht. 'Ziet u wat eronder staat? La Begum Aga Khan.'

Mr. Profunser bladert verder. 'En hier... de schilder Marc Chagall. Oud, bibberend, maar toch, wat een kracht. En hier... hier is ze, Yourcenar, niet lang voor haar dood... Ze kreeg wel eens bloemen van bewonderaars. En als die bloemen dan op waren, mocht het dienstmeisje ze niet weggooien. Omdat, zei ze, de gedachte van de gever die erachter stak, nog bestond... En hier, deze, kunt u deze handtekeningen lezen?'

Hij overhandigt me het boek, opengeslagen bij een bladzij waar twee handtekeningen dicht onder elkaar staan: Prince Rainier en Grace de Monaco, 2 december 1981.

'Bladert u rustig verder, als u wilt.'

Ik sla een bladzij om, lees *Peter Sellers*, en terwijl ik Sellers' hoofd met dat geslepen lachje voor me zie, kan ik niet nalaten te zeggen: 'Ook al dood.'

Verderop in het boek wordt *Mick Jagger* gevolgd door *Henry Kissinger*, *Jessye Norman* en *Udo Jürgens*. Zulke uiteenlopende personages in een boek bijeen heeft iets amusants.

'Zou u het later misschien nog willen inzien?' vraagt mr. Profunser. 'Ja? Ik zal ervoor zorgen. En zullen we dan nu een wandelingetje maken?'

Het wandelingetje duurt tot het eind van de middag. Van de bovenste verdieping die recentelijk is gebouwd, tot de kelders. Langs luxere kamers met goudkleurige kranen, suites met een sauna of jacuzzi. Door de vertrekken van de keizerlijke suite, waarvan de ramen van kogelvrij glas uitzicht bieden over het Place Vendôme. Op het plein staat een werkkeet, enigszins vermomd als tuinhuis. Van daaruit was tot september 1988 een gang naar een bovenverdieping, zodat de gasten niets bemerkten van de werklui tijdens de renovatie die negen jaar heeft geduurd en 150 miljoen dollar kostte.

In een muur van de zitkamer van de keizerlijke suite zijn twee fresco's uit Pompeï aangebracht. Het interieur ademt rijkdom en een vleug decadentie. De schilderijen, sofa's, spiegels, Griekse vazen, draperieën met veelkleurige kwasten, tapijten, het gebeeldhouwde eikehout van de badkamer. Nieuw is niet tot nauwelijks van oud te onderscheiden.

'Dat komt omdat we onze eigen ateliers hebben,' zegt mr. Profunser. 'Timmerlieden, marmerschilders, et cetera, ze maken deel uit van het totale personeelsbestand van vijfhonderdveertig man.'

In dit hotel hangt nergens achter een deur een kaart die de prijs-per-nacht of de tijd-van-ontbijt vermeldt. Men weet dat een kamer vanaf 2000 franc kost en dat een ontbijt ieder uur van de dag kan worden besteld.

'Deze suite is achtenvijftigduizend franc per nacht,' zegt mr. Profunser. 'Ik kan niet zeggen dat hij élke week bezet is, maar toch wel bijna.'

We wandelen op de parterre door een zomerzaal, een winterzaal, een salon. Alles oogt zo harmonieus en uitgebalanceerd dat een kaars die even scheef staat al opvalt, zo niet stoort.

En dan ineens staan we voor een gang van honderdtien meter lang, met aan beide zijden verlichte vitrines waarin sieraden, parfums en andere kostbare kleinoden pronken.

'De straat van bekoring,' zegt mr. Profunser. 'Het was het idee van madame Ritz. Het zou anders zo saai zijn om dat hele eind te lopen.'

Aan het eind van de gang bevinden zich de Hemingwaybar en het restaurant l'Espadon waar ooit de befaamdste kok van de wereld, Auguste Escoffier, de scepter zwaaide. Beneden, ondergronds, is de nachtclub. Men kan er souperen, openlijk of in een oriëntaals kabinet terzijde, en er kan gedanst worden onder een sterrenhemel tot de ochtend aanbreekt.

Ook de keuken ligt ondergronds. Een enorme keuken waar de verschillende afdelingen, zoals vis, wild, groenten, zijn aangegeven door geglazuurde bordjes en tegeltableaus. Hier bakt men eigen brood en banket. Koksjongens zijn aan het werk. De rijen koperen pannen hangen erbij of ze nieuw zijn.

Er is ook nog een kleinere keuken waar gasten een cursus gastronomisch koken kunnen volgen. Want de gast gaat voor alles. En dat blijkt eens te meer wanneer de volgende onderaardse wereld voor me opengaat: de Ritz Health Club.

Hier voeren terra cotta gekleurde gangen, waar een enkele gast in de perzikkleurige badjas dwaalt, naar de fitness centers, de squashbaan waar je middels een video je eigen prestaties kunt keuren, de sauna's, Turkse baden, bubbelbaden, masseur, kapper, schoonheidspecialiste, de mogelijkheid in zeewier gewikkeld te worden, de kamer met de verkwikkende zogenaamde ozotherm, speciaal ontwikkeld voor het Ritz, het smalle kamertje waar je uit verschillende slangen met een keiharde straal kan worden bespoten, en naar de donkere kamer met black light, waar drie bedden klaarstaan, het dek half opgeslagen. In deze kamer kun je rusten zo lang je wenst. Er is geen raam. Mocht dat een benauwd gevoel geven, dan kan er naast het bed een apparaat worden ingeschakeld dat zekere golven geeft die de claustrofobie verdrijven.

Het indrukwekkendst is het zwembad, omringd door zuilen, voorstellingen, geïnspireerd op de klassieke taferelen van sir Alma Tadema, en comfortabele ligstoelen. Op je rug in het tropisch blauwe water liggend, kijk je naar het plafond van een zomerse hemel met ijle wolkjes. Onder water klinkt muziek en houd je je ogen open, dan zie je op de bodem de mozaïeken van zeemeerminnen.

'Soms dekken we het bassin af met een houten vloer,' zegt mr. Profunser. 'De airconditioning is in staat binnen twee uur de temperatuur terug te dringen tot achttien graden. En dan kan het feest in de balzaal beginnen.'

De overvloed aan details heeft me duizelig gemaakt.

Wanneer mr. Profunser tegen de receptioniste zegt dat ik van alles wat ik maar wil gebruik mag maken, dwing ik mezelf tot een afspraak voor een behandeling in de ozotherm.

'Wilt u nu, mevrouw?'

'Nee, morgen alstublieft.'

Er is op dat moment maar één ding dat ik wil: naar mijn kamer.

Het Livre d'or is midden op het bed gelegd.

Vroeger logeerden in dit hotel Marcel Proust, de tsaar, Scott Fitzgerald, Hemingway, Charles Chaplin.

En in de oorlog Coco Chanel; en Goering, Goebbels en Himmler, die zich direct meester maakten van het hoofdgebouw.

Nu zijn (of waren) het *Richard Nixon*, die bedankt 'voor de verheven gastvrijheid gedurende de jaren'. *Harold Robbins*, die blij is 'met een thuis ver van huis'. *Gloria Vanderbilt*: 'In de hele wijde wereld is er maar één Parijs en één Ritz.' *Claudia Cardinale, Gene Kelly, Gregory Peck, Elton John, Barbara Streisand, Ursula Andress, Patrick Duffy, Franz Beckenbauer, Betty en Gerald Ford, James Coburn, Lauren Bacall, Kirk Douglas, Walter Mattheau*: 'Dank u zeer voor een heerlijk verblijf... tot op heden.' *Jack Lemmon, Warren Beatty, Dean Martin, Dustin Hoffman, Rock Hudson*: 'Het is beter voor Parijs om in het Ritz te blijven.' *Rod Stewart, Gina Lolobrigida, Roger Moore*: 'Een genoegen weer thuis te zijn in het beste hotel van de wereld.' *Paul Anka, Olivia Newton John* (op huwelijksreis), *Victoria Principal* (op huwelijksreis), *Joan Collins*: 'Mijn verdriet om het Ritz na drie verrukkelijke maanden te verlaten, wordt alleen goedgemaakt door de gedachte dat ik volgend jaar terugkeer.' *Jack Nicholson* noteerde: 'Spanje is nog nooit zo mooi geweest... als altijd.'

De opvallendste bladzij is die van *Barbara Cartland*. Er is een folder opgeplakt over haar levensloop, die als volgt begint:

1918 – Vader gedood in Vlaanderen.

Gevolgd door hoogtepunten als:

1927 – Trouwt met Alexander Mc Corquodale.

1936 – Trouwt met Hugh Mc Corquodale.

1963 – Publiceert haar 100ste boek.

1978 – Publiceert haar 200ste boek.

1981 – Viert haar 80ste verjaardag en publiceert haar 300ste boek.

Hierna volgt een lijst met de titels van haar romans, waaronder: *Love is mine. Love forbidden. The price of love. Love is an eagle. Lessons in love. No time for love. An arrow of love. The wings of love. The slaves of love. Vote for love. Where is love? Love for sale. The drums of love. Lies for love.*

Voor dit boek heeft ze maar vier woorden nodig: 'I love the Ritz.'

In het restaurant zitten twee Japanners en twee jonge, Amerikaanse meisjes die eruit zien of ze even uit een kostschool zijn ontsnapt.

De amuse is een lepelgroot hapje van een warme, groene, bijna vloeibare substantie met bovenop een boterzachte coquille. Het voorgerecht is een pannekoekje, gevuld met gerookte zalm en kaviaar en versierd met een dunne, groene asperge. Een pianist speelt deuntjes die klinken of het instrument met vilt is bekleed. Er is vooral veel personeel aanwezig. Ik weet niet wie er meer haast heeft: ik met drinken of die jongens met bijschenken.

Een uur later zijn bijna alle tafels bezet. Een serveerwagen gaat rond, mandjes wijn worden aangedragen. En broodjes, soms niet groter dan een ei, zacht, hard, zoet, met komijn, rozijnen. Er is een donker broodje bij dat smaakt naar de geur die ik als kind in een Zaanse graanmolen rook (en waaraan ik sindsdien werkelijk nooit meer heb gedacht).

Aan meer dan de helft van de tafels wordt een gerecht bereid dat ik aanvankelijk aanzag voor lichtbrui-

ne, bolle paddestoeltjes die bij het snijden gummiach-
tig opveren. Wanneer voor het gezelschap rechts van
me drie van deze flinke porties worden bereid, zie ik
pas dat het hersens zijn. Met een razend snelle pols
wordt er peper boven gemalen. De stukjes gaan in een
koperen koekepan, een scheut Martell eroverheen, de
vlam erin, even schudden en ze glijden op de borden.
Onder andere op het bord van een oudere heer die een
half uur eerder naar de pianist liep en zei: 'Ik hoor dat
u veel afweet van verleiding.'

Vind ik het gênant meer dan achteloos naar mensen te kijken, vooral wanneer ze eten, nog minder
makkelijk doe ik het wanneer een gezelschap neer-
strijkt, met aan het hoofd Jean Paul Belmondo. Ik zie
nog dat hij wordt geflankeerd door twee vrouwelijke
wezens, en dat er een jongen tegenover hem zit die
zijn jonge evenbeeld is. En hierna kijk ik naar een
langouste. Het gemak waarmee de kelner knip, knip,
de voelsprieten knipt, de schaal openbreekt, snijdt,
leegt en de inhoud opdient op een schaal met krullende kreeftestaart.

De Amerikaanse meisjes steken kauwgum in hun
mond voor ze aan de kaas beginnen. Aan een tafel,
verscholen achter een palm, zegt iemand vrij luid: 'I
hate you!', maar het geroezemoes gaat onveranderd
voort.

Uit de koelkast (met parelmoerglans en van hotelwa-
pen voorzien) neem ik een flesje mineraalwater. Ik
probeer wat te werken maar alles in mijn hoofd gonst
en draait. Met het licht aan val ik in slaap en als ik
wakker word, lijkt het vijf minuten later. Maar de be-

diende dient het ontbijt aan. Het wordt binnengerold op een tafel. Weer heerlijk verse broodjes, vruchtensap, gepocheerde eitjes, een potje thee met een kurkje in de tuit. Ik herinner me ineens dat ik een afspraak heb gemaakt voor dat vreemde apparaat, waarvan de naam me ontschoten is. Wat heb ik me nou op de hals gehaald? Als ik aan een sauna denk, krijg ik al hartkloppingen. Van de weeromstuit krijg ik geen hap door mijn keel.

Uiteindelijk ga ik toch maar op weg naar die rare machine. In de badjas. 'Men gaat hier gewoon in de badjas naar het health center,' had mr. Profunser gezegd en inderdaad had ik al een paar maal een gast zo op de gang zien lopen. Het suggereert iets van een grote familie. Ik heb er wat moeite mee, te meer omdat ik telkens wanneer ik met de lift naar beneden ga, in een gang terechtkom die naar een was- en poetsruimte leidt.

De Romeinse catacombe kan ik vandaar helemaal niet vinden. Een jongen in een gesteven katoenen jakje is zo vriendelijk me de weg te wijzen. Langs zijn neus weg zegt hij dat ik kennelijk per abuis de dienstlift had genomen. Wat blozend loop ik in de badjas achter hem aan.

De ozotherm is een elipsvormige trommel. Een meisje opent het deksel en ik denk even aan de ijzeren maagd met de martelende pinnen. Het is een kwestie van instappen en gaan liggen. Het deksel gaat dicht, het hoofd steekt naar buiten, de opening rond de hals wordt met een handdoek afgesloten: ik kan worden gelanceerd.

43

Het schemerige licht van de plafonnière wordt nog zachter gedraaid. Een zoemtoon op de achtergrond. Een gesis en geborrel in het apparaat en daar begint het te stomen, heet, steeds heter. De handdoek waar ik op lig raakt doorweekt. Het meisje nevelt fris water op m'n gezicht. 'En nu komt de ozon,' zegt ze.

Hoe voelt ozon? Hoe ruikt ozon? Het blijft allemaal even nat en heet. Ik onderga het maar en ben blij dat het hoofd niet bij het avontuur betrokken is. Plotseling houdt de hitte op en begint het heel, heel zacht en behaaglijk te regenen en te geuren naar eucalyptus. Het tovert ogenblikkelijk een fris, groen, weldadig landschap voor ogen. Helaas, het duurt niet lang. Van het ene op het andere moment verandert het landschap in een donkere poel. Er ligt een roeiboot onder een dekzeil en een slagregen gaat er luid kletsend op tekeer. Het water slaat heen en weer waardoor het is of de boot schommelt. Als de temperatuur terugloopt, zie ik een autowastunnel voor me. Dan wordt het weer warm en ineens is het stil, afgelopen.

'U zult zich zo dadelijk voelen alsof u acht uur geslapen hebt,' zegt het meisje.

Hoe suf en slaperig ik me ook voel, het klinkt reuze prettig.

's Middags loop ik het hotel uit, in de richting van het Louvre. Het regent. Desondanks zijn er veel mensen op de been, vooral ouders met kleine kinderen.

In een lunchroom bestel ik een crêpe met suiker en een kop koffie. Iemand loopt zonder pardon tegen me op. De vloer is bezaaid met kruimels, as, peuken, wikkels van suikerklontjes.

In het Ritz is het theetijd. Dat was het al toen ik naar buiten ging.

Daar luisterden twee oude dames met nertsmantels op de stoelen tegenover, naar de harpiste die iedere middag komt spelen. Evenals een kettingrokende oosterling met lakschoenen. En een verveeld stel, al dronken. Een man met een spiegelglad kapsel schreef er een brief. En een jonge vrouw in een korte, spierwitte bontjas zat met een schaar in haar hand. Zo leek het. De uiteinden bleken geen punten maar kleine gebogen plaatjes waarmee ze de gewrichten van haar vingers masseerde.

Later op de avond besluit ik tot een laatste wandeling, door de smetteloze straat van bekoring, naar de Hemingwaybar. Zijn kop staat op de bar. Er hangen foto's van hem, staand achter een dode tonijn.

Ik herinner me de man in zijn verhaal 'The snows of Kilimanjaro' die aan gangreen ligt te creperen en telkens om een whisky-soda vraagt. En de vrouw die zegt hoe slecht dat voor hem is.

Er wordt me verteld dat mister Hemingway hier zo vaak was dat hij regelmatig de bar zelf moest sluiten.

Wanneer ik terugloop door de straat van bekoring, naderen er twee mannen. Stoere types. Sportschoolhouders? Zakenlieden van bijzondere zaken? Ze zijn me amper gepasseerd of ze zeggen iets waarvan ze niet beseffen hoe dwaas en waarachtig tegelijk mij dat in de oren klinkt.

'Hee, dat leek Mensje van Keulen wel,' zei de een. Waarop de ander: 'Ja, maar dan anders.'

# Alleen voor Morandi

Wanneer de taxi stopt, overvalt me even het gevoel dat ik ben gefopt, een lichte schrik.

Ik had een tehuis verwacht en de lange, drukke straat, dwars door het centrum van Bologna, de galerijen met hun zuilen, de poorten, doorkijkjes op zonnige, groene binnenplaatsen hadden die verwachting eerder bevestigd.

Maar het is geen tehuis. Het is niet eens een woonhuis. Ik kijk tegen de glazen pui aan van een postkantoor.

Poste restante, natuurlijk. Al had er geen p.r. bij het adres gestaan, het komt me als vanzelfsprekend voor. De twee zusters krijgen waarschijnlijk veel post en op vreemde bezoekers zijn ze uiteraard niet gesteld. Ik besluit uit te stappen en het pakje dat ik ze had willen brengen, in het postkantoor te posten. Ik kijk van de linker- naar de rechteringang en zie plotseling een rits naambordjes op de deurpost. Klopt het adres dan toch?

Met een mengeling van hoop op ja (waarom bevond ik me hier anders) én nee (opgelucht als ik een paar tellen ben geweest over het feit dat ik nu tenminste niet zou aanbellen op een hoogst ongelegen moment) ga ik erop af. Ik zie het naambordje meteen, te midden van de naambordjes die naar de achtergrond vervagen, de zeven letters: MORANDI.

De deur geeft mee en blijkt geen toegang tot het

postkantoor te verschaffen maar tot een hal, met pal in het midden een liftkoker en daarachter een conciërge. Aan de bewegingen van haar bovenarmen zie ik dat ze zit te breien. Ik probeer uit te leggen dat ik een pakje bij me heb voor de zusters Morandi en dat ik het ze graag zou willen geven. Ze begrijpt geen Engels of Frans, schudt haar hoofd, zegt niets. Dan bedenk ik dat het eenvoudiger is als ik haar de inhoud van het pakje laat zien.

Ik haal het papier eraf, wijs met enige gêne naar mijzelf en houd het boek met het stilleven van Morandi op het omslag, even voor haar op. Nu knikt en lacht ze naar me en ik maak uit haar woordenvloed op dat de dames zijn uitgegaan maar zo weer thuiskomen. Ze belt naar boven, langdurig, en zo te zien naar verschillende verdiepingen, tot iemand opneemt die beaamt dat het inderdaad niet lang zal duren. Niet langer dan tien vingers. Ik maak haar duidelijk dat ik in de buurt koffie ga drinken en volg het advies op dat ze geeft met haar hand, schuin gebarend naar de overkant.

Hoe oud moesten Anna en Maria Teresa Morandi al niet zijn? Hun broer zou in 1990 honderd jaar zijn geworden.

Een oude dame met een stok gaat het pand binnen. Is het dan toch een tehuis? Ik draai me om naar de bar die, ontdek ik nu pas, niet erg zorgvuldig is afgeveegd. Het pakje dat ik erop had gelegd, is aan de onderzijde flink nat. Zo kan ik het de zusters niet overhandigen. Bij de prullenbak verwijder ik het papier en ik steek het boek, dat gelukkig droog gebleven is, in mijn tas. Onderaan op de rug staan nog net de letters *di*. De rest van de naam op het stilleven is weggevallen. Vreselijk vind ik dat. Ik denk aan hoe ik vier vellen papier over de reproductie van het prachtige *Natura morta 1955* schoof tot een kader rond het boekformaat van 12 × 19 centimeter. Een ware 'uitsnijding'. Wat een verminking, misdadig! Het zou me niets verbazen als de zusters er precies zo over oordeelden. Zal ik het boek toch maar niet afgeven bij de conciërge? Het is hoe dan ook vreselijk zomaar bij iemand aan te komen. Het minste wat ik kan doen, is snel een bos bloemen kopen. Ik heb nog vijf minuten. Als de zusters dan nog niet thuis zijn of geen bezoek ontvangen willen, kan ik boek en bloemen alsnog bij de conciërge achterlaten. God, waarom heb ik ze niet gewoon een exemplaar gestuurd, zoals ik ze ook in een brief had toegezegd!

Op het moment dat ik de bar verlaat, komt de conciërge naar buiten. Ze wenkt me.

De signora is thuis en verwacht me.

De *signora*? Ik had al eerder gemeend te horen dat ze over één vrouw sprak en vraag: 'Signora Anna of signora Maria Teresa?'

'Signora Maria Teresa,' zegt de conciërge nadrukkelijk en ze opent de deur van de lift en drukt op de knop van de derde verdieping.

Ik verontschuldig me voor mijn komst, zeg dat ik haar niet wil storen, dat ik hier voor haar sta omdat ik een week in Venetië verblijf (wat is dat nu voor onzinnige reden?), dat ik zo aanstonds naar het museum ga en ik me erop verheug daar het werk van haar broer te zien. Ik struikel over mijn woorden, reik haar het boek al aan.

Natura morta, 1955

'Maar nee,' zegt mevrouw Morandi vriendelijk. 'Ik herinner me uw brief. Entrez, entrez.'

Ze laat me binnen in een licht, vierkant vertrek, wijst me een stoel, neemt zelf plaats achter een tafel en draait haar stoel in mijn richting.

'Een reproductie is altijd anders,' zegt ze beleefd, terwijl ze het omslag bekijkt. 'Maar het is mooi. Ja.'

Het *is* ook mooi, zelfs deze verminkte reproductie. De twee, op het eerste gezicht donkere vaasjes, het blauw dat ineens in het ene vaasje sterker zichtbaar wordt en het roze, in het andere vaasje; het geel en ook weer het blauw en roze dat in de achtergrond lijkt te bewegen; de streek verf die juist even van de rand buigt van het rechtervaasje, alsof het er – telkens weer, wanneer je ernaar kijkt – net is neergezet.

Ze werpt een blik op de opdracht voorin, vertaald door de meisjes van boekhandel Bonardi: 'Con grande ammirazione per l'opera di Vostro fratello e con infiniti ringraziamenti che, grazie alla deliziosa natura morta, sono stata in grado di abbellire questo mio libro.'

Wat kan ik er nog aan toevoegen? Ik zit op de punt van mijn stoel en kijk naar haar terwijl ze wat nerveus in het boek bladert. Achter haar staat een foto van haar broer met wie ze een sterke gelijkenis vertoont. Links van haar hangt het schilderij, bekend als *Portret van een vrouw* (1912). Verder rondkijken durf ik niet.

Ik zeg dat het boek dertien jaar geleden voor het eerst verscheen en dat dit een speciale editie is. Dat het speciale in de prijs schuilt, laat ik achterwege. Het woord 'goedkoop' zou hier afschuwelijk misplaatst klinken.

Ze knikt bedachtzaam en vraagt: 'Waar gaat het over?'

In een paar regels tracht ik het samen te vatten: 'Het is het verhaal van twee vrouwen, een moeder en dochter. De moeder is ziek, de dochter komt nauwelijks het huis uit...'

'Mais c'est comme moi!' zegt ze en ze begint over haar zuster Anna. 'Anna weet niets meer en kan niets meer.' Het is al vijf jaar zo en ze heeft in die jaren nooit meer weg gekund. Ze vertelt zonder zelfbeklag. 'Anna is drieënnegentig. Ik sta niet toe dat een ander haar verzorgt, ik wil het zelf doen. Het is soms veel, ja. Maar het moet.'

Vlak voor ik vertrek, vraag ik of de vrouw van het portret haar zuster is.

'Wel een zuster,' zegt ze. 'Maar niet Anna. Het is Dina. Dina leeft niet meer.' Ze wijst op een ander portret, een tekening boven een kastje met het volledige werk van Ibsen. 'Dat is ook Dina. Mijn broer portretteerde Anna en mij niet zo vaak, weet u. Wij waren jonger.'

Ze volgt me naar de hal.

De glanzende terrazzovloer. De kleine schets van een landschap aan de wand. Het aardige, ernstige gezicht van Maria Teresa Morandi. Haar stem. Haar kleine, rechte gestalte, wachtend in de deuropening tot de lift zakt.


Het museum is gesloten.

De vrouw die achter de balie bezig is met administratief werk, zegt dat ik over twee uur naar binnen kan. Behalve voor Morandi, dat kan morgen pas weer.

Overmoedig zeg ik: 'En daar kom ik nu juist voor. Ik kom helemaal uit Nederland, enkel en alleen om Morandi te zien.'

'Alleen voor Morandi?'
'Alleen voor Morandi.'

Ze neemt de telefoon van de haak en ik vis uit haar woorden: 'Soltanto per Morandi. Si. Soltanto.'

Het is geregeld. Ik word opgehaald door een dikke werkster in een mouwloos jasschort. Ze gaat mee de zaal in. De zaal die haar luister dankt aan Morandi's zusters, want tot voor enige jaren bezat het museum slechts één van zijn doeken.

Buiten roept een stem: 'Luce Morandi!'

En het licht gaat aan.

Waarom is zijn werk zo mooi, o meer dan mooi, onvergelijkbaar? Komt het door de kleuren, de pastelkleuren, het heldere wit, het felle, mooiste blauw van de wereld, kleuren die ook in de donkere doeken altijd ergens tintelen? Is het de manier waarop, de streek in de verf? Maar zijn etsen dan, zwaar van arcering? En zijn tekeningen, die soms alleen uit een paar lijnen bestaan? Waardoor is zijn ordening, rangschikking, weergave van levenloze voorwerpen als vazen, ontroerend? Hoe komt het dat diezelfde ontroering iets in het hoofd lijkt te ordenen? Gelukkig is veel kunst niet te doorgronden.

Ik ga, ongestoord door de ogen van de vrouw in mijn rug en degene die wacht om het licht weer uit te draaien, de zaal rond in een roes. En in de dagen erna keert het verkwikkende hiervan soms, bij het zien van iets, terug. De driehoekige tuin met bomen tussen een paar huizen. De duistere fabriek waar een glasblazer een blauw-groene schaal ronddraait. De toonkamer waar een stofwolk uit het tapijt stuift wanneer een zware, roodharige man naar achter loopt om de spotjes aan te doen en dan: de lampen en vazen in rood, oker, blauw, zwart glas, dikbuikig, grillig, rank, ijl. Sculpturen op de Biennale die er, ondanks hun grootte en tastbaarheid, staan als stillevens. Maar ook een pomp bij een muurtje op een binnenplaats, de flessen op een baaltje stro in een etalage, een stapel dozen op de achterplecht van een boot, de ober met het dienblad waarop een karaf met glazen, het vaasje op de hoek van de tafel met het flets oranje kleed, en dichterbij het kopje met de smalle, sikkelvormige schaduw, en nog dichterbij... Nee, niet nog dichterbij. Daar begint een andere manier van kijken.

# De ziel op reis

De paus is niet in Rome. Hij is niet eens in Italië. Alsof de goudvis uit de kom is verdwenen.

Zijn lange, bleke gezicht met de krullende kin en de glimlach van begeerte, buigt zich naar een zwarte, jubelende menigte. De plaatsvervanger van Christus op aarde, Pontifex Maximus, Heilige Vader, Papa heeft zijn stoel verlaten voor een bezoek aan Madagascar.

Dat ik zijn afwezigheid betreur, verrast me. Hoe lang is het al niet geleden dat de deur van het voor mij laatste katholieke bolwerk, het Cor Mariae Immaculatum, in het slot viel? Vanaf dat moment gaf ik eraan toe dat ik een afvallige was en als zodanig kon gaan leven. Niet langer het kruisteken slaan, geen heilige missen en kerkelijke gedenkdagen meer; het was afgelopen met de rituelen, gebeden, gezangen, biechtvader, moderator en godsdienstlessen.

De twijfel was al vroeg gezaaid. De Godsbewijzen waren uitgebleven. Vaak genoeg had ik mijn best gedaan overtuigd te raken van het enig waarachtige geloof. Ervan af vallen was niet iets wat ik wilde of waarnaar ik verlangde, het was een conclusie. De laatste franjes verteerden en verpulverden, de wereld werd er ruimer door, mijn roomse jeugd was definitief voorbij.

En daar sta ik, nog maar net gearriveerd, voor de eerste maal in Rome en vind dat de paus thuis hoort te zijn. In het Vaticaan, het middelpunt van de katholieke wereld. Waar hij als zichtbaar opperhoofd het onzichtbare, onstoffelijke vertegenwoordigt. Waar hij zetelt en uitziet over zijn onderdanen. Waar hij de gelovigen die uit alle windstreken naar hem toe stromen, zegent. Waar hij de kernspreuk van het pauselijk gezag dient te handhaven: Roma locuta res finita.

Het is niet voor niets dat ik hier nu pas ben. Dat ik de voorgaande jaren, bij de gedachte naar Rome te gaan, iedere keer besloot: later.

Ten slotte was het ook niet voor niets dat Rome, Lourdes en Nazareth de eerste buitenlandse plaatsnamen waren die ik te horen kreeg.

Zou een niet-katholiek anders kijken in deze stad? Zou hij alles wat hij ziet anders ondergaan?

Ik vraag het me al af bij het uitzicht.

Recht tegenover, bovenaan de trap van een kerk, staat een kapucijner monnik. Twee vrouwen en een man lopen de trap op en slaan halverwege af naar een zijdeur. Een minuut of vijf later komen ze wat besmuikt lachend naar buiten, zoals bezoekers van een kermisattractie de tent uitglippen. Wanneer ik nog een paar mensen op die manier te voorschijn zie komen, begin ik te vermoeden dat de kapucijner daar niet staat om een luchtje te scheppen, maar de functie heeft van zwijgende stalmeester.

De monnik in de kleine, duistere hal wijst op een bruine tas waarvan de bek hongerig open staat. Ik doe er wat geld in en kijk de monnik aan. Hij knikt naar de deuropening van een ruimte van ongeveer vijftien meter lang waar aan de rechterzijde, via smalle, hoog gelegen ramen, enig daglicht binnen valt. Ik stap over de drempel en terwijl ik een muffe mengeling ruik van aarde, turf en iets als vochtig hout of papier, kijk ik neer op een ingebed lapje grond, een donkere zandbak met eenvoudige houten kruisjes. Het doet me ogenblikkelijk denken aan de poes, de hamster, de schildpad, de vogeltjes die ik vroeger met mijn broer en zusje in de tuin begroef en waarvan we zeker wisten dat we ze ooit boven zouden weerzien.

Tegen de gekalkte wanden liggen schedels en botten zorgvuldig als keien gestapeld. In deze muurtjes zijn nissen uitgespaard waarin een paar geraamtes, gehuld in kapucijner pij, de capuchon op, rusten.

De gewelfde zoldering is symmetrisch gedecoreerd. Wanneer al die ornamentatie niet die typisch grijs-gele kleur had bezeten, zou je het beslist aanzien voor een vakkundig staaltje stucwerk. Niet dat het nu minder vakkundig is, het voegt er juist iets aan toe; het is het meest fantastische plafond dat een sterveling bedenken kan. Bloemmotieven, uitgevoerd in ribben, sleutelbeenderen en ellepijpen; randen van spaak- en kuitbeenderen; slingers en cirkels van hals-, borst- en lendewervels; grotere ornamenten van zogenaamde heiligbenen, en bekkenhelften en schouderbladen, uitwaaierend als elfenbanken.

In de vier volgende, kleine kapellen zet deze groteske versiering zich lustig voort in nieuwe variaties. Er staan en hangen nu ook monniken in de knekelnissen, de onderarmen vreedzaam over elkaar, een kruisje tussen de vingerkootjes.

Tegen de zoldering van de laatste kapel hangt het

De knekelkelder

skelet van een prinses Barberini. In haar rechterhand houdt ze een zeis, in haar linker een weegschaal, beide uitgevoerd in botjes en beenderen. Het heeft iets ontroerends; ze is zo klein, een kind nog. Ik bedenk hoe er met haar moet zijn gesold voor ze daar hing. Ik zie ook voor me hoe die talrijke overblijfselen van monniken moeten zijn gescheiden en gesorteerd. Al dat menselijk materiaal, geordend, gestileerd en verheven tot een even realistische als surrealistische voorstelling. Vandaar dat er enerzijds iets lugubers, anderzijds zoiets onschuldigs, bijna infantiels van uit gaat.

Grappen zijn er niet gemaakt. Ook het pronkstuk: een vernuftig in elkaar gezette beenderen kroonluchter, het mausoleum van Dali waardig, is bedoeld als lamp, een godslamp die op olie brandt.

Honderden doden op nog geen honderd vierkante meter. Een waarachtig knekelhuis.

De spreuk, vooraan in de eerste kapel: *Wij waren wat u bent. U zult worden wat wij zijn.*

En daarboven, naast de ingang van de kerk, op de grafsteen van kardinaal Barberini: *Hier ligt stof, as en niets.*

Het zouden de woorden van een nihilist kunnen zijn. Maar in deze kerk, de Santa Maria Concezione, staat er – slechts zichtbaar voor de gelovige – achter geschreven: Doch de ziel is eeuwig.

In de Sint Pieter zal geen twijfelaar geplaagd worden door de behoefte aan het zoeken naar een godsbewijs. Hij staat er middenin, wordt er met zijn neus op gedrukt, alles ademt God.

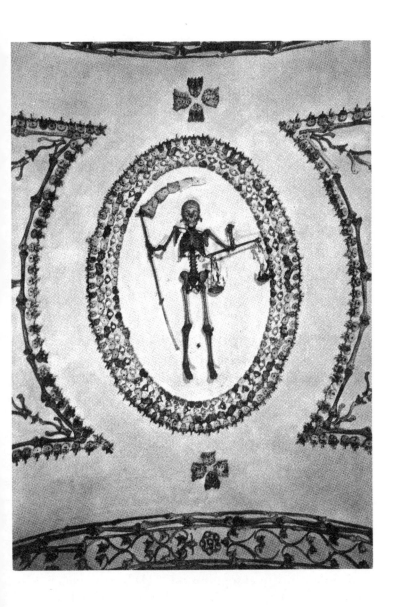

Prinses Barberini

Een wonder, geschapen door mensenhanden. Ik kan het me moeilijk voorstellen wanneer ik naar de mensheid ter plekke kijk. Slenterend in groepen, wachtend in rijen. In een rij voor de lift. In een rij om de bronzen voet van Petrus te kussen, een voet waarvan de tenen zijn weggekust. In een traag in een trapgat afdalende rij voor het graf van de apostel en de pauselijke graftombes. In een drom voor de pietà van Michelangelo.

Maar zodra ik voor het meesterwerk sta, ben ik me van geen omstanders bewust en bekruipt me even de gedachte dat Michelangelo de Schepper zelf moet zijn geweest. En als ik even later omhoogkijk naar de koepel, is het of ik ernaar toe word gezogen en het lijkt warempel of ik verrijs wanneer een koor hoog en galmend inzet.

Rondom is het ineens druk. Er wordt vrij baan gemaakt voor een langzaam naderende, in veel rood en lila gehulde stoet geestelijken. Het zijn er zeker tachtig, ik heb er nog nooit zoveel bij elkaar gezien.

Ik heb ook nog nooit zo'n aantal halsstarrige, chagrijnige, oude mannen bij elkaar gezien. Dat zielzorg vrede en vreugde schenkt, laat kennelijk geen afdruk na.

De stoet bestijgt het altaar.

'Dominus vobiscum.'

'Et cum spiritu tuo.'

De vlakke toon waarop de mis gelezen wordt. De melodie van de gezangen. Een tussenzin als 'sub Pontio Pilato passus et sepultus est...' De haag vrome, biddende toeschouwers. Het wist de tussenliggende jaren uit.

'Oremus.'

De meeste mensen staan niet bij het altaar, maar lopen rond, blijven in hun rijen hangen, gaan voort met babbelen.

Heette het misoffer niet de hoogste oefening van godsdienst? Eerbied! Eerbied in Gods huis! Een kuchje, een behoedzaam los wriemelen van een pepermuntje, drie woorden fluisteren, vier, hooguit vijf... Ssst!

Nog eenmaal kijk ik naar die hemelse koepel. Het Tantum ergo zou nu moeten klinken. Of het Gloria... Of 'O, hoofd vol bloed en wonden...'

(Waarom?)

Omdat ik van die melodieën houd.

(Wist je *toen* dat je ervan hield? Mis je al die vervoering, al deze mystiek niet? Je hebt een priester zien zitten in een van de biechtstoelen. Hij zat heel stil te wachten, er viel licht op zijn schedel. Kun je je nog herinneren hoe verrukkelijk, zielverheffend het voelde als je vroeger te biecht was geweest?)

Dat was na vijf minuten over.

(Er zijn biechtvaders in verschillende talen, je kunt er zo een laten komen.)

Ik heb nooit de oefening van berouw uit m'n hoofd gekend.

(Je hoeft niet te biechten... Vertel hem dat je de kerk de rug hebt toegedraaid. Wees eens eerlijk: is niet-geloven zoveel beter? *Werd* de wereld er inderdaad ruimer door?)

Ik dacht alleen maar even aan muziek...

(Bach, Mozart, Verdi... Denk je dat die zonder het bestaan van een God zulke muziek hadden kunnen componeren? En kijk naar wat je omringt: Michelangelo, Rafaël, Caravaggio... Het Geloof is een benijdenswaardig voorrecht... Het aards geluk is maar zo gering, àls je er al wat van vindt. Werpt het niet-geloven in het hiernamaals er al geen permanente schaduw over?)

Soms, zeker. Vreselijk. Maar ik benijd de gelovigen niet. Ik benijd weleens de vanzelfsprekendheid waarmee ze geloven, het gemak waarmee ze de verpletterende vervreemding bezweren.

Wanneer ik terugdenk aan de Sixtijnse kapel, dringen zich beelden op van de tocht ernaar toe. De monsterlijk lange rij waar ik achter aansluit, met het voornemen weg te gaan als ik niet over een half uur voor de helft ben opgeschoten. Maar binnen een half uur sta ik binnen en wel zo opgeslokt in de dichte stroom dat ik met geen mogelijkheid meer terug kan.

Waarom het zo godsgruwelijk druk is, had ik al begrepen toen we de gesloten kassa's passeerden.

Het zijn niet alleen Italiaanse families die zich op deze gratis museumdag naar binnen wurmen. Er klinkt een mengelmoes van talen. Een kind zet een keel op, een wandelwagen en een rolstoel zitten klem, er wordt geduwd en voorgedrongen, groepen vallen uiteen, groepsleiders houden een herkenningsteken op, zoals een anjer of een stok met een stuk papier aan de punt. En zo beweegt de horde zich langzaam maar zeker voort. Van de ene schatkamer, via een doorgang – waar je een arm of been vanachter de deurpost moet zien mee te krijgen – naar de andere. Gobelins en schilderijen, meubels en liturgisch vaatwerk, de Vaticaanse praal en schitter wordt nauwelijks een blik waardig gekeurd. Voort moet het, voort: Wij zijn allen rooms-katholieken en we hebben maar één doel voor ogen! De vreemde lichaamsdelen die je van alle kanten raken, de lucht van onbekende huiden en haren, de adem bij je gezicht, ik denk een paar maal dat ik flauw ga vallen. Hup, voort! Een trap af, een kale ruimte door waar het naar verse specie ruikt, langs haaks staande muren waar schilderijen uit de twintigste eeuw hangen – een glimp van een Ensor, een Bacon – voort! Geen zijpaden inslaan, dit is een bedevaart!

Wanneer ik de kapel binnenga, is er ruim anderhalf uur verstreken. Met brede armgebaren sommeren ordediensders het publiek meteen door te lopen. Ik kijk naar de uitbeelding van de eerste dagen van de schepping op het plafond.

'Doorlopen, doorlopen! Per favore! Please!' Alsof het de opstopping bij een ongeluk betreft. Nu gaat dat aardig op voor de laatste dag van de schepping, maar niet voor Michelangelo's weergave ervan.

Achteruitlopend of over mijn schouder kijkend, probeer ik nog zoveel mogelijk te zien van Het Laatste Oordeel dat niet helemaal tot zijn oorspronkelijke staat zal worden teruggebracht. De schaamdoeken op de dertig figuren moeten intact blijven, omdat men vreest dat de onderliggende schildering is weggepoetst. Zoiets geeft toch een andere dimensie aan een dramatische voorstelling. Ik geloof niet dat er 'niets' onder zit. Rome is en was kuis. Ik stel me dan ook voor hoe het er moet hebben uitgezien, voor Paus Pius IV er – in het jaar dat Michelangelo stierf en een jaar voor zijn eigen dood – de schaamdoeken op liet schilderen. Naakte lichamen zouden dit tafereel van het oordeel op het einde van de wereld (waarbij alle mensen gezamenlijk geoordeeld zullen worden, de zaligen in de hemel zullen worden opgenomen en de verdoemden voor eeuwig naar de hel verwezen) veel geloofwaardiger maken. O, een veel schokkender, onheilspellender schouwspel zou het zijn, deze blik op de hel, bedoeld als een waarschuwing voor de goddelozen, de ongelovigen, de ketters, de afvalligen.

Stad van pleinen,
   Stad van fonteinen,
   Stad van tempels,
   Stad van kerken,
   Stad van martelaren,
   Stad van heiligen,
   Stad van levenden,
   Stad van doden,
   Wondere stad,
   Luisterrijk oord,
   Mystiek vat,
   Enzovoort,
   Door alle eeuwen der eeuwen.

Een non vraagt me de weg. 'I am Dutch,' zegt ze. En op mijn 'Ik ook': 'Maar eigenlijk ben ik Indonesisch, ik heb daar toen voor gekozen.'

Missiepost, schiet het door me heen. Missionaris. Missiebusje. Memisa. Melkdoppen. Gebreide verbandrollen. Lepracollecte.

Een tweeënzestigjarige non met een Brabants accent, midden op de Via Veneto, vlak bij de Santa Maria Concezione waar nog steeds een kapucijner als lokaas staat.

Niet veel later loop ik achter een stel tengere, Aziatische nonnetjes met grijze sluiers en een rok tot over de kuit, hun dunne enkels gestoken in grove wandelschoenen.

Verwonderlijk zo snel als een straatbeeld went, denk ik, even opletten en je ziet altijd wel ergens een non. Sluiers, stevige stappers, in-schone gezichten en handen, het devoot aanwezig zijn, waar dan ook. Ik had de reine engelen mijn hele jeugd gezien en ze zijn niets veranderd.

In een van de natte, spekgladde straatjes van Trastevere, schiet me een passage uit Berlioz' autobiografie te binnen. Hij beschrijft daarin hoe, tijdens een epidemie, karrevrachten lijken aan een ijzeren haak worden neergelaten in een grafkelder in deze wijk.

'Een paleis van rotting' noemde hij het.

Toch al geneigd naar de straatstenen te kijken, omdat ik onder een paraplu loop, vallen me de putdeksels op. Onder deze? Of onder deze? Of was het toch in een kerk? Stad van doden. De kerken met hun graftombes; het Coloseum, waar het bloed van dieren, gladiatoren en christenen vloeide; de catacomben, die onderaardse grafstad van duizenden en duizenden doden.

Maar hierboven klettert de regen, branden de lantarens, lachen de toeristen en lokken de restaurants.

Bij *Gino* hangen oude foto's aan de muur. Vanaf de straat zie ik dat er een van Fernandel tussen hangt.

'J'ai mangé bien chez Gino' staat er op de foto geschreven. Fernandel, op de leeftijd waarop hij Don Camillo speelde, poseert lachend naast de slanke eigenaar. Is de eigenaar de nu dikke, zwetende oude baas die met een schotel in het aangrenzende vertrek verdwijnt? Of de norse man die zich bij de kassa ophoudt? Is de jonge bediende een zoon? De mannen in de Romeinse horeca lijken op lijfwachten en seminaristen.

De man bij de kassa neemt de rinkelende telefoon op. Er valt een naam waar ik even van opkijk. Mastroianni. Het zal wel een veel voorkomende naam zijn.

Het simpele voedsel is rijkelijk met olijfolie bereid. Het meest buitenissig is de sla die met ansjovis is aangemaakt.

Uit het andere vertrek komt een Duits gezelschap te voorschijn dat door de jonge bediende naar een tafel vooraan wordt gedirigeerd. Daar kunnen ze koffie krijgen, wordt ze uitgelegd, en daar kunnen ze op een taxi wachten.

De deur zwaait open. Een paraplu wordt dichtgeklapt en dan treedt hij aan: Marcello Mastroianni. Grijs, moe, en zo gebogen dat het colbert over zijn rug en schouders spant. Hij wordt vergezeld door een even oude vriend met een donker haarstukje. De paraplu wordt in de paraplubak gezet en beiden verdwijnen in het andere vertrek.

Het personeel is op slag veranderd. De pas wordt versneld, de glimlach breder, de toon ernstiger. De jonge kelner meldt wat *Marcello* heeft opgemerkt, de oude baas wat *de Maestro* wenst.

Twee muzikanten komen binnen en beginnen bij

de tafel met Duitsers het Spaanse 'Cuando caliente el sol' te zingen.

Na de beloning fluistert de oude baas de muzikanten wat toe. Beiden knikken en volgen hem, al tokkelend op de gitaar.

Weldra wordt achter de muur uit volle borst gezongen voor de man die de mooiste tragikomische rollen vertolkte van vrijgezel, thuis wonende, oudere zoon, falende minnaar.

De paus is niet in Rome, maar de Maestro wel. Aards, vervallen, aandoenlijk en, goddank, echt.

# Ladies and gentlemen,
# hello vampires

Dokter Van Helsing, specialist in ongewone ziektes, ontsloot de deur van de tombe waar Lucy rustte. In gezelschap van de drie mannen die Lucy tijdens haar leven liefhadden, daalde hij af. Hij pakte zijn tas uit en legde naast zijn operatiemessen 'een ronde, houten staak, ongeveer zes à zeven centimeter breed en zowat drie voet lang. Het ene uiteinde was verhard doordat hij in het vuur was verkoold, en tot een fijne punt geslepen. Bij deze staak hoorde een zware hamer, zoals men in het huishouden in het kolenhok gebruikt om de brokken kool klein te maken.' De dokter legde de mannen uit wat *Nosferatu* betekende en wat ze daarom te doen stond. Een van hen, zijn collega dr. Seward, noteerde in zijn dagboek: 'Arthur hield de punt boven het hart en ik zag hoe het blanke vlees erdoor werd ingedeukt. Toen stootte hij uit alle macht toe. [...] Arthur boog zich voorover en kuste haar en toen stuurden we hem en Quincey weg uit de graftombe; de professor en ik zaagden het bovenste gedeelte van de staak af en lieten de punt in het lichaam zitten. Toen hakten we het hoofd af en vulden de mond met knoflook. We soldeerden de loden kist dicht en schroefden het deksel van de kist vast, pakten onze spullen bijeen en vertrokken.'

'Daar rechts, op het oostelijke deel van Highgate Cemetery waar Karl Marx ligt, kunt u vrij rondlopen,' zegt de gids. 'Maar hier op de heuvel, het oude gedeelte, is dat niet toegestaan.'

Hij staat wat in elkaar gedoken, zijn haar is nat van de regen.

'Hier zult u dus met mij mee moeten.' Hij draait zich om en loopt voor me uit. 'Of bent u soms familie van de Otways?'

'Nee nee...'

Hij kijkt over zijn schouder. 'Waarom bent u dan geïnteresseerd in die tombe?'

Ik voel er niets voor hem te vertellen dat ik hier gekomen ben om de tombe te zien van een fictief personage.

'Het is maar bijzaak,' zeg ik. 'Ik heb gehoord dat het een bijzondere tombe is.'

'Deze hele plek is bijzonder,' zegt hij. 'Want het is de mooiste Victoriaanse begraafplaats die er is. Op 26 mei 1839 werd hier de eerste, een dame, ter aarde besteld. Deze dame is nu in het gezelschap van 166.000 anderen. Voornamelijk rijken en hogere middenstand die het durfden om meer dan een steen met "Here lies the body of" te laten plaatsen. Let maar eens op de symbolen en de Egyptische monumenten die in de mode waren.' Hij wijst op een engel, een omgekeerd hoefijzer, een anker aan een gebroken touw; en op zuilen, nu eens voor de symboliek, dan weer door de tijd gebroken.

'Dit is Death Street.'

Ik volg hem onder een poort door, een straatje in, met aan beide zijden roestige deuren en muren vol klimop.

'Er was in de stad geen plaats meer. En voor de armen helemaal niet; die werden gestapeld, soms tot een paar centimeter onder de grond. Dood en verderf. Je kunt dat goed in Dickens' *Bleak House* lezen... Mevrouw Dickens en een paar van haar kinderen liggen hier. Hém wilde de koningin in Westminster Abbey.'

Ik knik. Ik herinner me de donkere steen in de vloer: vlak bij een zijdeur waarachter zich, aan het eind van de gang, de zangschool bevindt. Op zondagochtend lopen daar koorknaapjes in en uit, gehuld in zwarte capes die tot hun enkels reiken.

'Tegen de heren vertel ik altijd dat de beroemde cricketer Lillywhite hier ligt. Die stierf aan de cholera, zoals zo velen. U vindt het misschien wel aardig om te weten dat er familieleden van Dante Gabriel Rossetti liggen, en Mary Ann Cross, alias George Eliot.'

'En Coleridge, heb ik begrepen.'

'Nee mevrouw, Coleridge ligt wel in de buurt, in de kerk van St.-Michael, maar hij ligt niet *op* Highgate... De mensen morden dat de aarde voor de levenden was en dat de rijken de grond in beslag namen. Want die bleven eeuwig liggen. Zoals hier,' zegt hij en geeft een tik tegen een deur, 'in deze kamertjes. "Tweede huisjes" noemden ze het. Tuinlieden verzorgden het groen en de families bezochten hun doden die in kisten op tafel lagen. Ze brandden er kaarsen, hingen er kleren, picknickten. Ja, toen lag het er allemaal nog netjes bij.'

De modderige paden zijn bezaaid met stukjes vermolmd hout. Natte bladeren maken ze nog glibberiger en ik loop zo voorzichtig mogelijk en overweeg of ik mijn paraplu als wandelstok zal gebruiken. De gids kijkt niet eens waar hij zijn voeten zet en de regen schijnt hem niet te plagen.

'Een aantal jaren werden er loden kisten gebruikt,' gaat hij monter verder. 'Die ontploften wel eens. Een doodgraver was er getuige van, maar de man heeft het niet kunnen navertellen... De Victorians waren tegen crematie maar crematie won. Wat wil je, al die mensen. In Westminster Abbey mag ook alleen nog as worden bijgezet... Hier ligt Julius Beer... Nee mevrouw, ik vergeet de Otways niet, maar hier ligt Beer.'

We lopen langs een bouwwerk met een hoog, spits dak.

'Beer werd door iedereen gehaat. Hij was eigenaar van de *Observer*, maar toen hij in 1880 overleed, verscheen er zelfs in zijn eigen krant geen In Memoriam. Hij heeft dit mausoleum opzettelijk zo hoog laten bouwen, zodat het uitzicht dat je tot 1880 op de stad had, goed verpest was... Die ceder daar, zo mooi in het midden, die is al vierhonderd jaar oud. Het onkruid maakt de graven kapot, hoewel ik ook wel eens zeg: het houdt ze bij mekaar. Toen er vijftien jaar geleden een orkaan woedde, zijn er veel bomen omgewaaid, maar er is ook een aantal op een eigenaardige manier vast blijven zitten door die graven. Dat is ook waarom u hier niet op eigen gelegenheid mag lopen, u zou uw enkel kunnen verzwikken. Of erger. Maar die ceder blijft maar overeind, wat je van de rest niet kan zeggen. Je kunt je haast niet voorstellen hoe het hier ooit moet zijn geweest, zo gezellig...' Hij staat stil bij een driehoekig terras. 'Alstublieft mevrouw, de Otway-familietombe.'

De dichtgemetselde ingang en het aangrenzende,

hoger gelegen terras en kleine achtertuintje verraden niets van wat mijn begeleider in een paar zinnen schetst: 'Er ging een trap omlaag, naar een heus vertrek. De muren waren zelfs behangen. Die mensen maakten wat van het leven. Er werd hier niet alleen gepicknickt, nee, er werd gedronken en gefeest. Ze gingen soms de hele nacht door.'

Hij haalt een mouw over zijn natte gezicht en zegt quasi terloops: 'Het is misschien maar bijzaak, maar er is wel eens beweerd dat Bram Stoker deze tombe in zijn boek *Dracula* heeft gebruikt. Zeker is het niet, omdat wij helemaal niet zeker weten of Stoker hier geweest is... Natuurlijk spoken hier geesten rond, dat gebeurt op iedere begraafplaats. Maar vampiers, nee, die huisden en huizen er niet. Dat er in 1926 een vrouw zonder hoofd in een verkoold hemd werd gevonden, zal wel een andere oorzaak hebben. Criminelen hebben altijd bestaan. Grafschenners ook. Je hebt nu eenmaal van die gekken.'

In de zomer van 1816 zat een groepje vrienden, onder wie de dichter Shelley, zijn aanstaande vrouw Mary, Lord Byron en diens vriend Polidori, bijeen in een villa aan het meer van Genève. Het regende dag in dag uit en het gezelschap vermaakte zich met het voorlezen van spookverhalen. Op de avond van de achttiende juni citeerde Byron enkele regels uit Coleridge's *Christabel*:

> Behold! her bosom and half her side –
> A sight to dream of, not to tell!
> O shield her! shield sweet Christabel!

In paniek rende Shelley de kamer uit. Een man met delicate zenuwen, die op dat moment nog niet kon weten dat zijn vrouw *Frankenstein* zou schrijven.

Ook een ander boek, geïnspireerd door dit fameuze, Zwitserse avondje, verscheen: *The Vampyre*. Het werd (onder anderen door Goethe) aan Byron toegeschreven, maar hoewel de snode hoofdpersoon, Lord Ruthven, getekend was naar Byron en Byron zelf het idee leverde voor het verhaal, was het Polidori die het schreef.

Hierna volgde in Engeland een vampier-rage. Vampierverhalen, -gedichten en -romans en vampiertoneelstukken, waarvoor technici een valluik met rubberflappen ontwierpen, zodat bij een spaarzaam verlicht toneel niet te zien en te horen was dat de vampier erdoor verdween.

Pas aan het eind van de eeuw verscheen het boek dat in tweeëntwintig talen vertaald werd, waarvan de titelheld in meer dan tweehonderd films optrad, en dat de aanzet gaf tot geheel verzorgde groepsreizen naar Roemenië en tot diverse genootschappen.

Mr. Robert James-Leake, de ruim twee meter lange secretaris van The Dracula Society, trekt zijn bovenlip op, buigt zich naar mijn nek en fluistert in mijn oor: 'Wij zijn heel normale mensen.'

Hij stelt me voor aan de voorzitter, die onder zijn smoking een brokaten vest draagt dat om zijn buik spant en aan de oprichter, die opgetogen uitroept: 'Ah, uit Amsterdam! Net als onze dokter Van Helsing!' Waarna hij er à la Van Helsing aan toevoegt: 'You like it over *hear*?'

73

Hij draagt een rood satijnen hemd en een ketting waaraan een honderdvijftig jaar oude, groene Maori-vleermuis hangt. Zijn kapsel en baard zijn geknipt als die van Bram Stoker.

Mr. James-Leake buigt zich naar me toe: 'Uw naam staat boven uw bord op een van de middelste tafels.'

Terwijl op deze novemberavond in London's West End *The phantom of the opera* en *The woman in black* worden gespeeld en *Frankenstein* als ballet wordt uitgevoerd, nemen de leden van The Dracula Society en enige eregasten hun plaats in achter de ronde tafels die gedekt staan voor het jaarlijkse Bram Stoker Birthday Dinner.

In het midden van de negentiende-eeuwse zaal van het hotel (waarvan de naam begint met 'Stakis') hangt een enorme kristallen kroonluchter. Op de tafels branden zwarte kaarsen. Aan weerszijden van de tafel waar het comité en de eregasten zitten, prijken een portret van de schrijver en een geschilderde voorstelling van de graaf, door de voorzitter 'grand old man' genoemd. Het pronkstuk is de zwarte cape met rode voering die zo over een zetel is gedrapeerd dat het lijkt of de graaf is opgestaan en ieder moment kan terugkeren. Bela Lugosi, de acteur die Dracula in twee films en tweeduizend theatervoorstellingen speelde, identificeerde zich zo met zijn rol dat hij zich in zijn cape heeft laten begraven. Maar deze cape is de Society geschonken door een erelid, de acteur Christopher Lee.

De avond staat in het teken van het theater. Een van de eregasten is Ivan Butler, die vroeger in het toneelgezelschap van Hamilton Deane (de acteur die *Dracula* in 1923 bewerkte tot een toneelstuk) de rol van Jonathan Harker speelde. Achterop de menukaart staat een quiz met vragen, die de nodige kennis van toneel en traditie vereisen. Ik bevind me in het hart van een gevarieerd gezelschap. Sommigen lijken zo van hun werk te zijn gekomen, maar de meeste mannen zijn toch in smoking en van de vrouwen draagt vrijwel de helft een jurk met decolleté. De jongsten hebben zich wit gepoederd en die bleekheid geaccentueerd door zwaar opgemaakte ogen en donkerrode lippen.

Na een toast op Bram Stoker (geboren 8 november 1847) wordt de Melon au Porto geserveerd. Achter me klopt de voorzitter met de hamer op tafel en roept: 'Nog één ding: ik hoop dat degenen die géén vegetarisch menu hadden besteld, nu niet ineens van mening veranderen.'

Mr. P. Swindell, die rechts van me zit, schiet geweldig in de lach. De vrouw naast hem, die hij voorstelde als een 'vriendin die ergens in mijn buurt woont' knikt mij (of iemand achter me?) minzaam toe. De stoel links, bedoeld voor Miss Patricia Hodgson, is leeg. Maar tijdens het ronddelen van het tweede voorgerecht stuift ze binnen op kousevoeten, met een paar zilverkleurige, open schoenen in haar hand en ploft naast me neer. Ze houdt een lange jammerklacht tegen mij en de schoenen. Ze trekt ze aan en uit en aan en uit, met een gekwelde uitdrukking op haar gezicht, als een van Assepoesters stiefzusters. Ze legt ze op haar schoot, geeft aan elk van de bandjes een rukje. 'Helemaal mis,' zegt ze en laat me een bandje zien dat tussen de zool en de binnenvoering van de schoen is

75

uitgeglipt. 'En van die andere is er ook eentje bijna helemaal mis.'

Alsof het de gewoonste zaak van de wereld is, haalt ze een tube lijm uit haar handtasje en begint, eerst met haar pink, dan met de punt van een mes de schoenen te behandelen.

Mr. Swindell vraagt of ik het antwoord op vraag drie van de quiz weet: 'Een zekere Mr. Jones speelde op 18 mei 1897 de eerste en enige opvoering van Stokers eigen bewerking van *Dracula*. Wat zei Henry Irving hierover?'

'Ik heb geen idee,' zeg ik. 'Het enige wat ik weet is dat Stoker in die dagen Irvings manager was. Het zal dus wel iets aardigs geweest zijn.'

Terwijl Mr. Swindell zich grinnikend over de andere vragen buigt, klaagt zijn tafelgenote over de hoge toegangsprijzen voor het theater.

'Robert! Robert!' roept Miss Hodgson. 'Gaan wij straks samen op de foto? Kunnen we nu niet alvast?'

De voorzitter slaat met zijn hamer. 'Henry Irving en Hamilton Deane rusten in Westminster Abbey,' zegt hij plechtig. 'Binnenkort zullen ze in het gezelschap verkeren van de as van Laurence Olivier, die in 1976 een onvergetelijke Van Helsing speelde. Op Laurence Olivier...!'

'Op Laurence Olivier!'

'En ik hoop dat er de volgende keer meer dames dramatisch gekleed zullen zijn.'

Mijn buurman vindt het een kostelijke opmerking. 'De laatste keer dat we met hem in Roemenië waren,' vertrouwt hij me toe, 'was zijn vrouw mee. Mrs. Davies is behoorlijk donker, ze komt van Jamaica ziet u. We waren bij de Borgo-pas en maakten foto's van de natuur en van de zigeuners die daar altijd zijn en we hadden reuze schik hahaha! Mrs. Davies was in de bus gebleven, die houdt daar namelijk niet zo van. Op een gegeven moment begonnen de zigeuners met stenen te gooien, dus ja, we holden terug naar de bus... De deur gaat open, Mrs. Davies verschijnt, en de zigeuners hahaha! toen die haar zagen, sloegen ze op de vlucht omdat ze dachten dat ze een duivel was! Hahaha!'

'De trein is duurder dan de bus,' zegt zijn tafeldame.

Miss Hodgson haalt haar schoenen onder de stoelpoten vandaan en betast ze liefdevol. De operatie is geslaagd, dolgelukkig bukt ze zich naar haar voeten. Ik zie ineens dat de oorbel aan haar rechteroor een hangende vleermuis voorstelt.

'Dat zijn heel speciale oorbellen, Miss Hodgson.'

'Ja, zijn ze niet schattig?' Ze beweegt haar hoofd zodat beide bellen bungelen, duwt met een vinger het hangertje – eenzelfde vleermuis – van haar halskettinkje op en heft haar arm. Er hangt nog een vleermuisje aan haar armband en er zit er een op haar ring. Ze pakt mijn menukaart, schrijft: *Go to Jay Whitby* en zegt: 'Die kan helemaal alles maken wat je wilt.'

Het hoofdgerecht is een 'Volaille', maar niet het nationale gerecht uit de Karpaten, de paprikakip die Jonathan Harker, op weg naar de graaf te eten kreeg. Het is een gepaneerde borstfilet die vergezeld gaat van 'Choux de Bruxelles Limousine', hetgeen staat voor twee spruiten.

De voorzitter slaat met zijn hamer.

Het woord is aan Mr. Ivan Butler: 'Ladies and gentlemen, hello vampires.' De oude acteur vertelt over tijden van weleer en zijn verhaal is doorweven met anekdotes. Over de vleermuis aan een draad die in het gezicht van de souffleur vloog, over de cape die tussen de deur terechtkwam, over de kist die te klein bleek voor de graaf.

Na de toost op Ivan Butler en Hamilton Deane en het nuttigen van de American apple pie, klinkt de hamerslag alweer. Iedereen gaat staan.

'To the queen...!'

'To the queen!'

Mensen lopen naar elkaar toe.

'Robert! Robert!' Miss Hodgson heeft haar eigen kleine cape bij zich, slaat hem om en dribbelt naar de secretaris. Ze trekt aan zijn jasje: 'Nu gaan we op de foto, Robert.' De reus gaat staan en legt zijn arm over haar heen. Miss Hodgson straalt. Ze wil met hem bij het schilderij van de graaf staan en bij zijn zetel. 'En ik wil ook wel een trekje van je sigaar, Robert.'

De vrouwen uit het gezelschap laten zich fotograferen met de cape van de graaf om hun schouders. 'Voorzichtig!' roept een man. 'Hij is onbetaalbaar.'

De voorzitter slaat met zijn hamer en zegt: 'Miss Cruk, bent u zo ver?'

Miss Cruk, een hoogblonde vrouw van middelbare leeftijd, in een diep uitgesneden, zwarte jurk, reikt de Hamilton Deane Award uit aan de auteur Terry Pratchett, voor diens boek *Mort*.

'Er is veel over gediscussieerd,' zegt ze. 'Maar een boek waarin de Dood groot en zwart rondloopt is een Gothic novel.'

Mr. Pratchett zegt in zijn dankwoord: 'Er zijn van *Mort* achthonderdduizend exemplaren verkocht. En nu ik Julia Cruk heb ontmoet, kan *Mort twee* niet uitblijven: de Dood die zijn werk vergeet, omdat hij verliefd wordt.'

De uitslag van de quiz wordt bekendgemaakt.

'Nee, het was niet Schwarzenegger,' zegt een lid van het comité, terwijl hij wat antwoorden op de eerste vraag doorneemt. 'Het was ook niet Lord Byron, Prometheus, Jack the Ripper, Adolf Hitler – en *ik* was het evenmin – maar T.P. Cook, die in 1823 Frankenstein speelde.'

Mr. Swindell tikt tegen mijn arm en zegt: 'Onze secretaris speelt ook wel eens voor Frankenstein. In de London dungeon, op afspraak, voor privé-groepen ziet u. Hij is immers zeven voet lang! Hahaha!'

'Op de vraag wat Irving zei, antwoordde u: slecht, middelmatig, troep, rotzooi, tandeloos, maar nee, niemand had het goed, het juiste antwoord luidt eenvoudig: ...verschrikkelijk.'

De winnaar is de oprichter van de society.

'Dank u,' zegt de winnaar en neemt de prijs, een groot boek met de titel *Monsters*, aan: 'God, dit is pijnlijk zeg.'

Voor de laatste maal slaat Mr. Davies met zijn hamer. Iedereen gaat staan en heft het glas.

'To the count...!'

'To the count!'

Hoe kwam Stoker aan zijn macabere graaf? Werd hij beïnvloed door Keats' *Lamia*, Coleridge's *Christabel*, Polidori's vampier, Sheridan le Fanu's *Carmilla*, het

220 hoofdstukken tellende *Varney the Vampyre* of – waarom niet – Mefistofeles? Kwam het door zijn moeder die hem verhalen vertelde over epidemieën, terwijl hij zelf door een onbekende ziekte tot zijn achtste jaar aan zijn bed gekluisterd was?

Stimuleerden de Victoriaanse tijd en een frigide echtgenote de ondertoon van het boek dat, ondanks pagina's lang voortbabbelen en vrome breedsprakige tekst, erotisch is? Wat te denken van Lucy's idee over mannen: 'Mijn lieve Mina, waarom zijn mannen zo nobel, terwijl wij vrouwen dat zo weinig waard zijn?' En dat van Mina Harker: 'Mannen zijn toleranter, de schatten!'

Liet de Ier zich informeren door de Hongaarse professor Arminius Vambery, of haalde hij zijn kennis van Roemenië uit reisfolders en de British Library? Hij noemde zijn graaf naar de vijftiende-eeuwse Vlad Dracul, bijgenaamd de Spietser, die van een bevolking van vijfhonderdduizend zielen er veertig- tot honderdduizend ombracht door ze op te hangen, te koken, te roosteren, maar toch vooral door ze aan lange staken te spietsen.

Stoker was een schrijver, geen historicus. Hij refereerde aan historische feiten en plaatsen waardoor het boek een waarachtige, authentieke bijsmaak krijgt. En het was slim om van zijn graaf een indirecte afstammeling van Atilla te maken, maar het blijft pure fictie. Fictie is in staat tot het gruwelijk-onmogelijke en fantastische; de werkelijkheid is, uiteindelijk, altijd gruwelijker.

In Whitby, het kustplaatsje in Yorkshire, waar Dracula voet aan wal zette, ging het verhaal dat Stoker op zijn idee voor het boek kwam na het eten van te veel krab. Overboord daarom met de ballast van Invloed; er bestaat ook nog zoiets als de lust tot huiveren.

Als kinderen maakten mijn broer, zusje en ik elkaar bang door in het donker naar elkaar toe te sluipen, of alleen maar door te zéggen dat je eraan kwam. We lagen, naar Hollands gebruik, erg vroeg in bed. Soms doodde ik de tijd door verhalen te vertellen, enge verhalen waar ik vaak geen eind aan wist te bedenken. (...Er was eens een vrouw die een wens mocht doen. Ze wenste dat haar vader, die drie maanden geleden was begraven, terugkwam. En ja hoor, 's nachts klonk er gekrabbel aan de voordeur... En toen? En toen?) We lachten om dat rare mengsel van angst en genot, maar een enkele keer liep het uit de hand en renden we gillend naar de huiskamer.

Van alle griezelverschijningen sprak de vampier – het wezen dat als mist, als stofdeeltjes in het maanlicht en in iedere gedaante zijn opwachting kon maken – het meest tot de verbeelding. Toen ik in 1958 hoorde over de film *Dracula*, schrok ik met name van de mededeling dat er een verpleegster achter in de zaal klaarstond. Ik heb een zwak voor het genre, hoe drakerig veel griezelfilms (o, de banale verfilmingen van de verhalen van Poe!) en zeker die waarin vampiers spelen, ook zijn. Bela Lugosi, Boris Karloff en Christopher Lee wisten de vleermuisman die door Stoker al van aristocratie en hoffelijkheid was voorzien, toch altijd iets aantrekkelijks te geven. Van het feit dat Dracula ook een tragische figuur is, is in de verfilmingen niets terug te vinden. Tussen klassieke griezelelementen als kastelen, ruïnes, kerkhoven, cypressen, mist, noodweer, maan, vleermuizen, wolven, torenkamers en femmes fatales, beweegt zich het menselijk ogende schepsel dat zijn slachtoffers zoet laat sterven. De enig ware, dat wil zeggen afzichtelijke vampier biedt Murnau's meesterlijke *Nosferatu* (1922).

De graaf heet hier niet Dracula maar Orlok, en de plaats waar hij met zijn met aarde gevulde kisten naar toe reist, is niet Londen maar Bremen. In de nachtelijke, door Murnau blauw getinte scènes is de aanblik van Max Schreck, die de rol van de graaf speelt, van een afgrijselijkheid die tot op heden door geen enkele griezel is geëvenaard. Schreck is de vampier uit de volksverhalen, toen pest, cholera, kanker en t.b.c. ziektes waren waarvan de aard en de oorzaak onbekend waren. Wat mensen zagen, was bleekheid, gewichtsverlies, bloed ophoesten. Voeg daarbij de gevallen van te vroeg uitgevoerde begrafenissen en het geloof in ondode lijkenvreters en bloedzuigers is niet zo verwonderlijk.

Schreck verbeeldt zo'n levend lijk, waarover Van Helsing in zijn eigenaardige Engels zegt: 'Undeads that have fill us in horror.' De magere, nekloze gedaante in de stugge, halflange legerjas; het kale hoofd met de uitstaande, puntige oren, de bolle, nimmer knipperende ogen en die zwijgende, triomfantelijke lach, die akelige grijns, die één is met de twee tanden... Niet de hoektanden van onze beminde katten en honden, maar twee lange, ratachtige boventanden die zoiets weeïgs hebben. Wanneer Schreck zijn hoofd uit het luik van het schip, de *Demeter* steekt... vreselijk! Wanneer zijn gekromde gestalte de trap beklimt: het denkbeeld dat hij die twee tanden in een halsslag-

De lach van Schreck

ader boort en het bloed in gulzige teugen opslokt... horror... horror!

'Ze zeggen dat hij op East Cliff begraven ligt,' zegt de vrouw van het hotel. Ze staat achter een bar, schuin in een hoek van de achterkamer. Op de drie in een U geplaatste sofa's onderhouden pensiongasten elkaar over hart- en vaatziekten en de frisse lucht aan zee.

'Stoker bracht hier een paar maal zijn vakantie door,' zeg ik, 'maar hij is in Londen gecremeerd, hij wou kennelijk geen risico lopen.'

'Nee, niet hij. Ik bedoel hém, die vampier.'

'Maar Dracula is een bedachte figuur.'

'Toch wordt het beweerd. Hij kan daar liggen.'

Ik voel niet de behoefte haar uit die waan te helpen. Ziehier de kracht van een sterk verhaal. Mensen willen ook nog steeds het graf van Jane Eyre of het huis van Sherlock Holmes bezoeken.

's Middags wandel ik door Whitby. Het is een aardig, rustig stadje. De dagjesmensen beperken zich tot de buurt bij de haven, waar een walm van fish and chips hangt. Ze lopen of zitten te eten en warmen hun handen aan mokken thee. De souvenirs zijn geconcentreerd rond schelpen en zeevaart en Whitby's held Captain Cook. Vlak voor de ophaalbrug, de enige brug in het centrum, staat op het parkeerterrein de waarschuwing: *Kinderen en dieren die alleen worden achtergelaten, lopen het risico te stikken of verwond te raken. Denk om hun veiligheid.*

Mina Harker schreef in haar dagboek: 'Ik liep langs de vismarkt naar de brug, de enige manier om de Oost-rots te bereiken. [...] Mijn knieën trilden en mijn adem werd moeizaam terwijl ik de eindeloze trappen naar de abdij op zwoegde. [...] Ongetwijfeld stond er iets langs en zwarts gebogen over de half liggende, witte gedaante. Angstig riep ik: "Lucy! Lucy!"'

De brug, de ruïne van de abdij en de 199 treden van de kerktrap naast Donkey Alley, een steil, hobbelig pad waar ezels hun vracht torsten, zijn onveranderd. De kerk van St.Mary is gerenoveerd, het kerkhof is een grasveld met grijze, verzakte zerken. Erosie van de hoge, steile rots heeft al een paar maal geleid tot vallende stukken rots die hun graven meenamen. In zee, maar ook op de straat aan de voet van de trap. Ik zit op een bank en zie wat Stoker, of liever Lucy en Mina zagen: 'de mooiste plek van Whitby, want het ligt helemaal boven de stad en je hebt er een volledig uitzicht over de haven en de baai tot waar het voorgebergte, dat Kettleness heet, zich uitstrekt in zee.'

Swales, een oud-walvisvaarder, kwam er wel eens met de dames praten. Hij liet Mina de tekst op een steen lezen: 'Edward Spencelag, gezagvoerder, door piraten vermoord voor de kust van Andres' en hij hoonde: 'Wie heeft hem thuis gebracht, vraag ik me af, en hem hier neergelegd? Vermoord voor de kust van Andres en u dacht zeker dat zijn lichaam hier rustte. Mens, ik kan je er wel een dozijn opnoemen wier beenderen in de zee bij Groenland daarboven liggen.' Even later liet hij Lucy de tekst op de grafsteen die als steunplaat voor het bankje diende, oplezen: 'George Cannon, zaliger gedachtenis, die, in de hoop op een glorierijke opstanding, op 29 juli 1873 stierf, door een val van de rotsen van Kettleness. Deze grafsteen werd hier geplaatst door zijn treurende moeder voor haar innig geliefde zoon.' Lucy vond er niets grappigs aan en Swales zei: 'Ha! Ha! Maar dat komt omdat je niet weet dat die treurende moeder een helleveeg was die haar zoon haatte omdat hij mismaakt was – het was een echte bochelaar – en hij haatte haar zó erg dat hij zelfmoord heeft gepleegd om te zorgen dat ze het geld van de levensverzekering niet in handen zou krijgen, die ze op hem had afgesloten. [...] Daar zal je niks van krijgen, mooi liefje; en het zal die arme Geordie misschien wel blij maken om zo'n mooi meidje op schoot te hebben.'

Vlak voor Swales de *Demeter* met de graaf aan boord en de dode kapitein aan het roer gebonden, zag binnenzeilen, zei hij: 'In die wind en daarachter is iets dat klinkt en eruitziet en smaakt en ruikt naar de dood.' (Drie dagen later werd hij bij het bankje gevonden met een gebroken nek en een trek van angst en afgrijzen op zijn gezicht.)

De *Demeter* liep vast op het strand onder de Oostrots en uit het vooronder sprong een zwarte hond te voorschijn die rechtstreeks naar het kerkhof rende.

Uit een kranteknipsel dat Mina in haar dagboek plakte: 'Velen waren nieuwsgierig naar de hond die aan land sprong toen het schip vastliep en ettelijke leden van de Dierenbescherming, die in Whitby ruim vertegenwoordigd is, hebben getracht het dier te helpen. Maar tot ieders teleurstelling was het onvindbaar; het schijnt helemaal uit de stad te zijn verdwenen.'

Verdwenen?

Terwijl ik nog wat geniet van de frisse zeelucht en

'Maar hij is groot en hij is zwart'

het uitzicht op de Noordzee en de huisjes met hun rode daken, komt er ineens een zwarte hond aangelopen. Ik denk: daar heb je nou zo'n anekdote van het toeval die alleen geloofd wordt als je hem met de juiste uitdrukking van verbazing vertelt. En ik weet wel dat het nog ongeloofwaardiger zal zijn als ik het opschrijf, want dat is nu eenmaal het lot van waar gebeurde verhalen.

De hond is een goedmoedige lobbes, zo te zien, die een onweerstaanbaar geurspoor volgt. Maar hij is groot en hij is zwart.

Van de paar mensen die over het kerkhof wandelen, heeft niemand een leiband bij zich. De vrouw op de bank bij de trap was er al toen ik hier ging zitten. En het echtpaar dat bovenkomt, loopt rechtstreeks naar de kerk.

# Het geraamte in de kast

'Ja, er is een vampiergraf in Dent,' zei de vrouw met een zware, omfloerste stem. 'Maar zolang ik hier werk, heeft daar nog nooit iemand naar gevraagd.'

Ze boog zich over de balie naar me toe. 'Wat opwindend,' zei ze, terwijl haar gezicht geen spoor van emotie verried.

Ik knikte en zei dat ik er graag wat meer over wilde weten.

Ze wendde zich resoluut naar het telefoontoestel en draaide drie cijfers: 'Deze heer woont in Dent en hij weet er vast iets van... Wees thuis, Mr. Ferguson,' zei ze met een zucht. 'Ik heb je ongeveer een uur geleden langs zien lopen dus je kunt makkelijk thuis zijn... De vleermuizen zijn hier nu een beschermde diersoort... En tussen haakjes, weet u dat het graf niet ín de kerk ligt maar erbuiten? Wees nou toch thuis... Geen nood.'

Ze draaide opnieuw een nummer: 'Er is nog iemand die er vast meer van weet... Als zij er nou maar is... Wees thuis... Hallo Kim? Dit is Nancy Walsh. Kim, er is hier een dame die zeer geïnteresseerd is in mysterieuze zaken...'

Op de balie lag, opengeslagen, een boek waarin bezoekers hun namen hadden geschreven. Er waren er die dag twee geweest. Ik keek naar de schappen links en rechts met boeken en boekjes over Yorkshire land-

schappen, kerken, kastelen, herbergen en boerderij-
en, of zoiets specifieks als de dry stone walls. Het me-
rendeel van de informatie bestond uit wandelkaarten
en routebeschrijvingen van de public footpaths in dit
noordelijk gedeelte, met als middelpunt het plaatsje
Sedbergh waar ik me op dat moment bevond.

'Mrs. Lyon kan u morgenochtend om elf uur ontvangen,' zei Mrs. Walsh. 'Ik zal het adres opschrijven,
dat wil zeggen, de naam van het huis, het kan niet
missen, het is het enige huis in de straat met een erker.
Ze deed vroeger de jaarlijkse wandeling langs het slavenpad. Dat is ook erg interessant, daar gebeurden
ook vreemde dingen... En dit is de naam van Mr. Fer-
gusons huis. Je herkent het aan een schaap achter het
raam. Tegenwoordig doet híj het slavenpad.'

Na deze raadselachtige woorden bedankte ik haar
voor al haar bereidwilligheid en vroeg of ze misschien
een hotel in de buurt wist, liefst in Dent zelf.

'Logies en ontbijt is er altijd wel ergens,' zei ze na-
denkend. 'De plaatselijke pub, de Sun Inn, wil nog
wel eens een kamer verhuren. Ja, dat is het meest ge-
schikt in dit geval.' En ze nam de hoorn alweer van de
haak.

Ik sloeg een boekje open en las dat ik als reiziger die
Dent en Dentdale aandeed, door een oud Keltisch ko-
ninkrijk zou wandelen; langs boerderijen en een kerk,
door Noormannen gebouwd, langs een Elizabethaan-
se molen, en over de oude 'cobbled streets' waar ik
wellicht een slok zou drinken van de fontein, opgericht ter nagedachtenis aan een befaamd geoloog,
zoon van Dent: Adam Sedgwick. Het dorp zelf was bekend door 'The terrible knitters of Dent'. Ondertussen

ontging me niet dat Mrs. Walsh zacht maar duidelijk aandrong op een kamer. 'Het is van belang,' hoorde ik haar zeggen. En: 'Ja, ze spreekt Engels.'

Ze kreeg het voor elkaar. Ik schreef mijn naam en een dankwoord in het gastenboek en tekende in de gauwigheid iets wat een paar lange, scherpe tanden moest voorstellen.

Mrs. Walsh sloeg haar handen ineen. 'Wat opwindend,' zei ze nog eens met die kalme, zware stem waarin van een ondertoon van scherts niets te bespeuren viel.

De smalle weg naar Dent voert door een vallei vol groene velden, heggen, wilde bloemen, kalksteenrotsen en ruige heideterpen waar de eeuwenoude stenen wallen doorheen slingeren, ver, ver de hellingen op. Prikkeldraad is er niet, hekken zijn er nauwelijks. De schapen met hun langharige vacht en zwarte kop gaan en grazen waar het ze zint, ook de weg hoort daarbij. Een enkel huis rijst op alsof het uit het land is gegroeid, grijs als de wallen en schapen en als de hemel waaruit het met tussenpozen regende.

Vanaf een grote parkeerplaats in Dent, waar het gras hoog tussen de stenen stond, was het panorama het indrukwekkendst.

'Mensen uit de stad gaan daar naar toe,' werd me later verteld. 'Vooral uit Manchester en vooral in augustus. Dan staat het soms vol. Ze zitten dan in de auto of ernaast op een meegebrachte stoel, en zo blijven ze de hele dag zitten kijken.'

Ik vond het zo gek nog niet. Waar kon een landschap nog romantischer zijn? Weelderig als het zich

uitstrekte; grillig, maar van een afstand parkachtig, met aan de horizon de zinnelijk glooiende lijnen van de heuvels. Welke kant ik ook opkeek, het was of het telkens van kleur en vorm veranderde.

In de Sun Inn, een oude solide herberg, werd me een kamer gewezen op de eerste verdieping. Op de andere deuren in de gang was het bordje 'Private' gespijkerd.

Het was een taps toelopende kamer met het raam aan de korte kant. In de hoek ernaast stond een smalle, eikehouten klerenkast. Na een blik op de ijzeren hangertjes in de kast te hebben geworpen, schoof ik de vitrage voor het raam opzij: ik keek op de grijze zerken van het kerkhof.

Ik draalde geen moment en verliet de Sun Inn via de achteruitgang, waarvan me gevraagd was gebruik te maken wanneer de pub gesloten was.

De gebarsten grafsteen maakt deel uit van het bordes voor de kerk. Hij is gelig van tint en ligt daar totaal onopvallend. Je moet er voor stilstaan om de inscriptie te zien, maar die is dan ook goed leesbaar:

HERE LYES
THE BODY OF GEORGE
HODGSON WHO DEPART
THIS LIFE IVNE Y 4 1715
AGED 94

Eronder, midden in een rechthoekige uitsparing waar waarschijnlijk ooit een koperen plaatje bevestigd was, is een met metaal gevuld gat zichtbaar. Dit zou het bo-

Grafsteen van de vampier

veneinde zijn van de ijzeren staak die recht door de steen, de kist en het hart van George Hodgson gedreven werd. Een ritueel dat men in die tijd ook voltrok aan misdadigers die zelfmoord pleegden; maar de zelfmoord van een misdadige vierennegentigjarige leek me niet erg voor de hand liggend.

Dat de steen niet meer op zijn oorspronkelijke plaats in het portaal van de kerk lag, kon een verklaring zijn voor de ligging ervan. Want waar een christelijke begrafenis vereiste dat de voeten van de overledene in oostelijke richting wijzen, is het voeteneind van de steen op het zuiden gericht.

De regen begon hevig te plenzen en ik ging de kerk binnen om te schuilen.

Kloksgewijs ging ik het gebouw 'dat negen eeuwen Christelijke verering had gezien' rond, beginnend bij de Cradle roll waarop de meeste borelingen zijn genoteerd tussen 1948 en 1950 en de laatste in 1978. Ernaast hing een lijst van gevallenen in H.M. Forces in 1939, waarbij – evenals op de Cradle roll – veel zelfde familienamen voorkwamen. Ik las de tekst op een gedenkteken, opgericht door Ann Sill of West House, ter nagedachtenis aan het verscheiden van haar ouders en drie broers. De broers, onder elkaar genoemd, gaven de steen iets huiveringwekkends:

Edmund Sill. Jun. Died March 26, 1797
Aged 32 Years.
John Sill, Died March 29, 1803,
Aged 35 Years.
James Sill, Died December 17, 1805,
Aged 35 Years.

Edmund Sill. Sen. en zijn vrouw Elizabeth volgden hun zonen in 1806 en 1807.

De volgende gedenksteen was opgericht door John Sill, '*as a Tribute, however small, of Respect & Gratitude, to the Memory of John Sill Esq. Of Providence in the Island of Jamaica, his Uncle and Benefactor.*'

Andere memorials betroffen echtgenoten en geestelijken zoals de Rev. John Sedgwick, die aan het eind van zijn lijden in staat was te zeggen: 'It is good that I have been afflicted.'

Zodra het opklaarde, verliet ik mijn schuilplaats.

In de uitsparing van Hodgsons steen stond een plasje water. De inscriptie viel moeilijker te lezen omdat het kletsnatte oppervlak de lichte hemel en de top van een cypres weerkaatste.

Misschien dat de barst, dwars door AGED 94, op dat moment pas goed mijn fantasie prikkelde. Misschien kwam het ook omdat ik het doel van mijn reis had gezien en de gedachte: 'Dit was het dan en ik verwacht niet dat er nog iets valt toe te voegen aan wat ik al weet', onderdrukte. Of misschien was het een reactie op het naargeestige gevoel dat de gedenktekens hadden opgeroepen. Hoe dan ook, het was vanaf dat moment dat ik de omgeving met andere ogen zag.

Daar liepen de wandelaars in hun wijde, korte broeken en wandelstappers, sommigen met een stok: tik tik op de hobbelige straatkeitjes waar de wielen van een kar of koets oorverdovend over zouden ratelen. Hoe schilderachtig zijn de twee oude straatjes en hoe allerliefst de huisjes. Ook het huisje met de zeven hoefijzers op de vensterbank. Of het huisje waar achter het raam een opgezette uil zijn klauwen in een fret zet. Aan de kim, boven Rise Hill, hangen de wolken donker en dreigend, maar hier glimt de zon op de keitjes en de gepoetste ruitjes; en het sappig groene gras op de heuveltjes van het kerkhof glinstert, hetgeen een fraaie achtergrond vormt voor de zwarte roeken, op zoek naar wurmen. De tea-room is net gesloten, maar de kerkklok slaat zes uur. De deuren van de George and Dragon gaan zo aanstonds open en bij de Sun Inn is het al zover. Gaat binnen, argeloze wandelaar. Je kunt zitten waar je wilt: aan de bar, aan een tafel, in een rookvrije zijkamer, in een achterkamer waar het dartboard hangt. Maar waar je ook zit of staat, het plafond is er laag en er is geen spleetje in al die oude balken of er is een koperen geldstuk ingestoken.

Aan de bar zitten, zwijgend, de waardin en een jonge, mollige dochter. Schuin achter ze hangt, boven de deurlijst, de kop van een marter met open bek. Naast de zakjes chips en pinda's hangt de spreuk:

May you live as long as long as
You want to...
And want to...
As long as you live.

Plotseling valt er op de vloer achter de bar, waar geen mens staat, een glas in gruzels.

'Raakte jij het aan?' vroeg de vrouw.

'Ik?' zei het meisje. 'Ik zit hier stil en deed helemaal niks.'

De eigenaar kwam te voorschijn: 'Zeg, wie heeft dat glas hier nou laten vallen?'

'Wij niet, echt niet,' zeiden de twee geamuseerd.

Ik glimlachte ook maar naar de eigenaar en bestelde een glas bier.

De vrouwen sloegen me nieuwsgierig gade en ik kreeg de indruk dat ze er al van op de hoogte waren waarom ik hier logeerde.

'Ik hoorde dat er een vampiergraf bij de kerk is,' zei ik langs mijn neus weg.

'Dat zeggen ze, ja,' zei de vrouw. 'Ik denk dat die ouwe kerel schijndood was, dat hij ze daardoor de stuipen op het lijf heeft gejaagd en dat ze hem toen alsnog, zoiets.'

'Er zit een gat in waar ze de lelijkerd hebben doorboord,' zei het meisje.

'Het is maar een verhaaltje,' zei de eigenaar, een groot glas donker bier tappend.

'Natuurlijk is het maar een verhaal,' zei het meisje. 'Maar ik zal van m'n leven niet op die steen durven staan en ik weet dat de anderen dat ook niet doen, nooit!'

Omdat het snel drukker werd, namen de vrouw en het meisje hun plaats in achter de bar en in de keuken. Ik besloot te gaan eten in een voormalige boerenhoeve, anderhalve mijl verderop, waar het menu een minder laffe dan de doorsnee Engelse keuken beloofde.

De volgende dag stond de zon fel aan de hemel. In de straat hing een broeierige warmte en hier en daar stond een huisdeur wijd open alsof het huisje naar adem snakte.

'Als het maar niet te lang zo blijft,' zei Mrs. Lyon. 'De mensen zijn dat hier niet gewend en de natuur evenmin. Door het jaar heen valt er flink wat regen, toch is het land altijd te droog.'

Ze had niets van een toverkol – zoals ik even had verwacht – of een aanhangster van een of andere occulte sekte. Ze was een wat gezette vrouw van een jaar of vijfenvijftig met een vriendelijk gezicht en ernstige, donkere ogen.

Naast de schouw hing een foto van een stoomtrein op een stenen spoorbrug. Die brug, zo had ik al gezien, ligt in de buurt van het vier mijl verder gelegen station van Dent. Het is het hoogst gelegen station van Engeland, waar in het hoogseizoen viermaal per week een trein vertrekt, dwars door het hart van een adembenemend landschap van verlaten moors.

Een van de honden die me bij binnenkomst uitbundig hadden begroet, leunde, half zittend, tegen mijn benen. Ik aaide hem over zijn roestbruine kop en legde zijn bazin kort en niet al te ernstig uit waarom ik hier was.

'Zo zo,' zei ze. 'Ik heb alleen gehoord dat de ochtend nadat die oude Hodgson was begraven, de steen gebroken bleek. Toen hebben ze hem buiten de kerk begraven. De Hodgsons zijn altijd een familie van smeden geweest. Een van zijn nazaten beweert dat de eerste zoon van een nieuwe generatie altijd lange hoektanden had. En heeft. Men moet zulke dingen natuurlijk met een korrel zout nemen.'

'Zeker.'

'Maar alle Dent-verhalen komen altijd wel ergens vandaan. De mensen hier houden er niet van als vreemden vragen stellen. Hebt u dat nog niet gemerkt?'

'Ik ben hier pas sinds gisteren.'

'Al zou je hier jaren zijn. Ik ben in veel plaatsen geweest, maar het is nergens zo erg als hier. Het zit hier tot de nok vol geschiedenis en spookverhalen, en die verhalen zijn niet altijd even grappig. De oude naam van Dent is Denneth: Hij die het kwaad brengt. En het is of sommige plekken vervloekt zijn. Even buiten Dent, in Dentdale, ligt een kleine nederzetting van een paar huizen; misschien hebt u het gezien, een ervan is tegenwoordig een restaurant.'

'Ik heb er gegeten.'

'O. Het bestaat nog niet zo lang. In de laatste paar jaar zijn er in die buurt drie jonge mensen omgekomen. Eén door zelfmoord, één door brand, en dan was er nog een kind dat met een touw speelde. Maar de mensen zeggen hier: Hush hush, there's a skeleton in the cupboard... U kijkt wat verbaasd. Ah! ik begrijp dat het raar klinkt als je het letterlijk neemt. Het betekent dat ieder huis wel een of andere narigheid kent die je maar beter geheim kunt houden.

Vroeger werden de schurken hier trouwens opgehangen, toen bestond er een lynch law. Het verhaal gaat dat ze een veedief ophingen en onder een van de grote rotsen waar de rivier de Dee langs stroomt, begroeven. Ze zeiden hem dat hij er voor altijd en eeuwig zou liggen, maar hij antwoordde: Nee, niet langer dan zeven jaar en een dag. En, zo zegt de legende, nu draait de rots ieder zevende jaar en een dag om. En verder stroomafwaarts ligt een andere hoge rots bij de Devils Cauldron, een poel die menig leven heeft geëist. De rots heeft de vorm van een kansel en de duivel heeft er zijn hoefafdruk in achtergelaten. En dan is er de grot, de Fairy Cave, die verscholen gaat achter de waterval van de Dee. De vikingen lieten er een heks achter die Ibby heette. Ze zat naast de rots en lokte kinderen de dood in, omdat ze speelden in plaats van te breien. U weet misschien al dat de mensen hier eeuwenlang het beroep van breier uitoefenden?'

'Ik heb ergens de regel "The terrible knitters of Dent" zien staan.'

'Het is een regel uit een gedicht van Robert Southey. Vrouwen, mannen, kinderen, in groepen zaten ze bij elkaar en breidden en breidden en... vertelden hun verhalen. Wat de legenden betreft, die veranderden nog wel eens, zo werd Ibby een ander soort heks. In de tijd van Oliver Cromwell...'

Mrs. Lyon haalde een zakdoek te voorschijn, nieste en drukte de zakdoek even tegen haar ogen.

'Neem me niet kwalijk. Hooikoorts. We zijn nogal van die oude Hodgson afgedwaald, ik hoop niet dat ik u met mijn verhalen verveel.'

'In geen geval,' zei ik. 'Gaat u alstublieft door.'

'Goed dan. Na de slag bij Marston Moor, kwam Cromwell hier met veertig kanonnen en een leger en nam een groot huis, High Hall, in beslag. Hij was stapelgek op een meisje, hij had een vreselijke lust voor haar, een obsessie, en zat maar achter haar aan. Maar ze veranderde zich in een haas. Ze is High Hall nog lang blijven plagen en was iedereen te snel af. Kent u *Wuthering Heights*?'

Ze snoot haar neus en keek me boven haar zakdoek aan.

'Ik heb het lang geleden gelezen,' zei ik.

'High Hall is Wuthering Heights... Emily Brontë

nam het huis als model en ze putte uit de geschiedenis van de mensen die ermee te maken hadden. Nee, ze is zelf nooit in Dent geweest. Als dat zo was, was het wel bekend en opgeschreven, want iedere voetstap die ze zette, is beschreven. Haworth, waar ze opgroeide, is veertig mijl van hier. Maar Emily en Charlotte gingen naar kostschool in Cowan Bridge, aan de andere kant van de heuvels van Dent. Adam Sedgwick, de geoloog, bezocht er vaak een vriend die op een steenworp afstand van de school woonde en schenkingen aan de school deed – de meisjes zullen op zijn minst wel eens een glimp van Sedgwick hebben opgevangen; hij scheen een mooie man te zijn die van zichzelf zei dat hij de kleur van een zadel had. Maar los hiervan: veertig mijl is niet zo ver als je denkt aan de orale traditie en aan het feit dat de gebeurtenissen die hier hebben plaatsgevonden, toen een langdurige bron van roddel waren, ook aan de tafels van dominees. Patrick Brontë, die als Wilberforce-aanhanger fel gekant was tegen de slavenhandel, heeft geweten van de wandaden van de twee families waarom het gaat: de Sills en de Suttons. En ik twijfel er niet aan, want hij was zelf een begenadigd verteller, of zijn dochters hebben hem erover horen spreken.'

'Een ogenblik,' zei ik. 'Ik heb één van die namen in de kerk gelezen.'

'Juist. Het gedenkteken is opgericht door Ann Sill, Ann Sill van West House. Met haar is de familie uitgestorven.'

'Wat weet u van haar drie broers?'

'Ze gingen ten onder aan rum, whisky en gokken, precies als Hindley Earnshaw in *Wuthering Heights*.

Hindley sterft ook, net als Edmund Sill Junior, in 1797. En nu ik zijn naam toch noem: u weet dat Emily voor haar boek het pseudoniem Ellis Bell koos, nietwaar... Geen mens weet waar dat Ellis voor staat. Nu, draai het eens om: Sill.E, de E voor Edmund...? U vindt het geloof ik een beetje vreemd hè, maar ik heb in zestien jaar heel wat onderzoek gedaan. Data, feiten, overeenkomsten, ik heb het meeste neergeschreven in een artikel, een klein boekje dat ik u zal geven. Er zijn Engelse lectors die durven toegeven dat het waar is, maar het zijn er maar een paar. Ik ben op de eerste plaats een huisvrouw en heb weinig in te brengen. En er kleeft nu eenmaal een schrijnende waarheid aan het verhaal die niets met fictie te maken heeft. Het is het verhaal van de Sills die goud verdienden aan de slavenhandel. In 1809 werd, dank zij Wilberforce, een wet aangenomen die de handel in slaven in de overzeese gebiedsdelen verbood. Maar Ann Sill trok zich er niets van aan, ze ging gewoon door met haar kwalijke praktijken. Tekenend is ook dat, bij de eraan voorafgaande verkiezing hier in Dent – in tegenstelling tot de omringende dorpen – *niet* de meeste stemmen naar Wilberforce gingen. In die andere dorpen was dan ook geen Jamaicaanse slavenhandelaar die flink wat van hun grond en huizen bezat! En dan heb ik het nog niet over de slaven hier, hoe die behandeld werden. Die stumpers in dat kille land. *Hier* ja, u hoort het goed. Maar ik geloof dat ze niet alleen hier maar in heel Engeland met een hush hush de boel in de doofpot stopten en houden willen... Wacht, ik zal u wat laten zien.'

Mrs. Lyon verliet de kamer en keerde al snel terug

met de kopie van een kranteknipsel uit 1758: *Run away from Dent in Yorkshire, on monday, the 28th august last, Thomas Anson, a negro man, about 5'6" high, aged 20 years and upwards and broad set. Whoever will bring the said man back to Dent, or give any information that he may be had again, shall receive a handsome reward from Mr. Edmund Sill of Dent, or Mr. David Kenyon, in Liverpool.*

'Anson,' zei Mrs. Lyon, 'betekende son of Ann. De slaven hadden doorgaans maar één naam die ze door de familie werd gegeven. Net als Heathcliff. Als u zich nog iemand kunt herinneren uit *Wuthering Heights*, moet hij het toch zijn. In Emily's boek is het de oude Earnshaw die op een dag naar Liverpool vertrekt. Wanneer hij terugkeert heeft hij een vondeling bij zich, "zo zwart alsof hij van de duivel kwam". En de familie noemt hem Heathcliff. Hier in Dent kwam Edmund Sill Sr. van een van zijn reizen naar Liverpool thuis met de wees Richard Sutton.

Zijn broer John Sill Sr. was de mede-eigenaar van twee slavenschepen, de "Dent" en de "Pickering". Toen hij genoeg geld had gemaakt, kocht hij een plantage op Jamaica: "Providence". Hebt u de gedenksteen naast die van Ann Sill gezien? Goed, dan hebt u daarop kunnen lezen dat hij een erfenis naliet. Net als de oom John die Jane Eyre zijn vermogen nalaat, al zit die oom John dan niet op Jamaica maar op Madeira. De naam Dent komt ook voor in *Jane Eyre*, wanneer Charlotte Brontë een kolonel en Mrs. Dent opvoert.

Emily laat haar roman spelen in het dorp Gimmerton. *Ton*, zal ik u vertellen, betekent "de plaats van". *Gimmer* betekent schaap. In deze streek werd in die tijd het woord "sheep" niet eens in de mond genomen. Denk nu eens aan de terrible knitters en aan waar ze hun broodnodige wol vandaan haalden! Emily situeert in Gimmerton ook de fairy cave waarover ik u al verteld heb... Zou u High Hall willen zien?'

'Ik zou het graag zien, Mrs. Lyon, heel graag. Misschien kunnen we ernaar toe rijden?'

'High Hall is nu een "rare breed farm". Ik zal de eigenares, Mrs. Tickle, waarschuwen dat we straks – zal ik zeggen om een uur of twee? – komen. Ik moet nu even naar mijn dochter. Ze krijgt over vier dagen een baby, ziet u, mijn eerste kleinkind. Ik wil even zien of alles in orde is.'

Toen ik Mrs. Lyon ophaalde, stelde ze voor eerst naar West House te gaan.

'Dat huis heeft, evenals Rigg End Farm – een andere hoeve van de Sills – niet model gestaan voor Emily's boek. Dat deed alleen High Hall. Hier moet ik, tussen haakjes, toch ook nog even over opmerken dat de Sills High Hall van de Masons kochten; en dat de "Masons" in *Jane Eyre* Jamaicaanse handelaars zijn. De arme krankzinnige die Mr. Rochester opgesloten houdt is een Mason, een halfbloed dochter. Maar waar ik eigenlijk over wil vertellen, is Ann Sill, die, na het leven op de hoeve, West House betrok om er het leven van een dame te leiden. Net als Catherine Earnshaw. Ze was ook dol op paardrijden. Catherine berijdt een Gallowaypaardje; nu, deze streek was beroemd om hun Galloways... Ik ben ervan overtuigd dat Ann Sill, al was ze ongetrouwd en kinderloos en stierf ze niet jong, Emily heeft aangezet tot de schepping van haar Catherine. Want wat een bron voor roddels moet ze geweest zijn! Ann Sill was hooghartig. Ze had een ongelukkige liefdesaffaire, vond dat alle mannen bedriegers waren en verachtte ze. Ze stond niet toe dat een man haar direct aansprak. Hij moest zijn zegje doen met zijn rug naar haar toe. Het verhaal gaat dat ze verliefd was op een zwarte koetsier en dat deze spoorloos verdween toen haar broers vonden dat een dergelijke verhouding niet door de beugel kon. Ik heb me vaak afgevraagd van wie het skelet was dat in 1902 onder de kelder van West House werd aangetroffen. Mr. Overby, de aannemer, die ik bij zijn leven nog gekend heb, heeft het samen met zijn knecht gevonden en toen achter het huis begraven.

Ik heb de naam van de wees Richard Sutton al laten vallen. De jongen werd niet veel beter dan een slaaf behandeld, en de Sills behandelden hun slaven slecht. Ann Sill had een vreemde, raadselachtige verhouding met hem. De mensen vonden hem onaangenaam. Ann Sill liet hem soms afranselen, en de laatste twee jaar verbood ze hem zelfs in haar buurt te komen. Toch bleek in haar testament dat ze een zwak voor hem had. Ze liet hem Rigg End Farm en Dyke Hall na en een tiende deel van haar totale inkomen. Ze scheen trouwens, ondanks haar haat, haar zinnen te hebben gezet op een mannelijke erfgenaam. Want al eerder had ze een neefje, James Sill, in huis genomen. Het in huis halen van dat neefje – het moet me toch even van het hart – lijkt erg veel op het binnenhalen van de jonge Linton op Wuthering Heights. Te meer omdat deze James, evenals Linton, overleed op twintigjarige leeftijd. Kunt u mij nog een beetje volgen?'

Ik zei dat ik graag naar haar luisterde.

'Een van de andere erfgenamen was een naamgenoot, Ann Sill uit Rochester. Misschien is het wat ver gezocht, maar ik kan toch ook niet helemaal om Jane Eyres Mr. Rochester heen, nietwaar.

Er was iets mis met het testament. Precies als met het testament in *Wuthering Heights* waarbij Heathcliff de notaris omkoopt en zodoende veel meer krijgt dan de bedoeling was. Kijk eens naar rechts!'

We passeerden een stenen hut met een gat.

'Dat was de kalkoven waar de specie werd bereid om de huizen mee te pleisteren. Ze hebben er een meisje in vermoord. We zijn er nu bijna.

Met het testament van Ann Sill was net zo geknoeid. Richard Sutton had óók meer gekregen dan hem toekwam. Hij kon er zelfs een hypotheek op West House van nemen en trok daar dan ook onmiddellijk in. Hoe het met de notaris in Emily's boek is afgelopen, wordt niet verteld, maar de boosdoener hier heeft het zwaar te verduren gehad. Adam Sedgwick was razend en zei hem dat hij verdoemd was. Sindsdien ging het bergafwaarts met de man. Hij werd ziek en hij dronk het water dat van het dak van de kerk drupte, in de hoop dat het hem genezen zou.

Hier verderop ligt, even van de weg af, een lapje grond waar ze slaven begroeven. Zonder ceremonie: zoals bij Heathcliff. Er groeit onkruid. Verder zie je niets. De mensen steken liever geen spade in die grond: hush hush. En nu hier naar rechts.

Dit is het dan. West House. Ik ken het huis, ik heb er gewoond. Het is niet voor niets dat ik me in de geschiedenis heb verdiept.

Bij mijn oudste dochter – die was toen vijftien – viel binnen een jaar al haar haar uit, zelfs haar wimpers. Later heeft ze pas verteld dat ze er nooit slapen kon omdat er iedere avond iemand bij haar bed kwam en zich over haar heen boog. En er ging bijna geen avond voorbij of mijn andere dochter lag naast haar bed op de grond en zei dat ze eruit was getrokken. Ik was blij toen we er weg waren.

Het huis is tussen 1790 en 1800 door slaven gebouwd, in de stijl van de plantagehuizen in Jamaica. Je ziet het aan de grote ramen en aan de centrale schoorsteen en het verhoogde terras. Ann Sill woonde er met vierentwintig bedienden en haar gezelschapsdame, ene Eleanor Middleton, die Nelly werd genoemd. En nu vraag ik u: Wie vertelt in *Wuthering Heights* over Heathcliff, Catherine, Hindley, Linton, kortom, wie is de vertelster van het hele verhaal? Het is Nelly, Nelly Dean.'

De weg naar High Hall is nog smaller. De heggen erlangs zijn hoog; er duiken kleine, bruine vogeltjes in en uit. Het huis is pas te zien aan het eind van de weg, waar het ook staat: een grimmige, beeldschone hoeve met grote, ronde schoorstenen.

Mrs. Lyon wees op de binnenplaats en zei: 'De "cobbled yard" van Wuthering Heights. En daar is het duivenhok dat Emily noemt, er staat het jaartal 1390 op.'

Ze wees op de deur: 'Boven de deur van Wuthering Heights staat W.H. – wilde Emily misschien ook laten weten dat ze van West House wist? – en er staat "Hareton Earnshaw", de naam van Hindleys zoon. Ik vertelde u over de legende van de haas die aan High Hall verbonden is, weet u nog? En daar noemt Emily de jongen Hare-ton!'

Ik wist niet of Mrs. Lyon haar verhaal al aan veel mensen verteld had, maar ze probeerde haar enthousiasme te temperen.

'Achter het huis loopt het slavenpad,' vervolgde ze, 'waarover de slaven naar of van Liverpool liepen. Veel van hen overleefden de eerste winter niet – al breidden de dorpelingen mutsjes voor ze. Er was een keten van huizen waar ze verstopt werden, in kelders en ondergrondse gangen.'

In de deuropening verscheen een vrouw, robuust als de molensteen die vlak bij het huis stond: Mrs. Tickle.

Het was of ze me niet zag. Ze negeerde me totaal en richtte het woord uitsluitend tot Mrs. Lyon. Ik volgde de vrouwen naar de stallen waar uitzonderlijke geiten en varkens stonden.

Een Gloucester Spot werd begroet: 'Hallo Joan. Hoe is het vandaag met je? Kijk eens hoe schoon en slank ze is, hoor eens hoe ze terugknort. Ach, wat ben je toch een lieverdje.'

'Ik heb hierboven veel minder last van die hooikoorts,' zei Mrs. Lyon.

Ik vergezelde ze langs twee zwarte, speelse paarden en hokken met bijzondere rashonden die voor een fikse herrie zorgden. We stopten bij een paar uiteenlopende schapen op een weitje, vanwaar het uitzicht wel zo fabelachtig was dat ik in een opwelling zei dat er geen huis in Engeland kon zijn dat zo mooi lag.

Alle norsheid bij Mrs. Tickle was op slag verdwenen. Ze keek me aan met een milde, innemende blik

High Hall

en zei: 'Dit is de mooiste plek op aarde en ik blijf hier tot ik doodga.'

Het schaap achter het raam bleek een hobbelschaap van hout met een heuse vacht.

Mr. Ferguson zei: 'Soms lopen er drie mensen mee bij de jaarlijkse slave trail, soms wel vijftien. De keten van slavenkelders loopt, via Windermere, tot Liverpool. En tot Lancaster. De haven was daar rustiger dan in Liverpool, waar na 1809 meer gecontroleerd werd.'

Verder had hij niets aan het verhaal toe te voegen. En over de vampier, nee, hij wist niet meer dan wat de steen zei.

Maar hij had de schommelschapen, de houten eieren die hij marmerde en, achter in zijn huis een balustrade langs de trap die uit de kerk kwam. En bliefde ik een glas van zijn eigen gebrouwen bier?

Teruglopend naar de Sun Inn, stak ik het kerkhof over en liep om George Hodgson heen de kerk binnen, recht naar het gedenkteken.

Onder *Ann Sill, the last survivor of the aforesaid family* las ik de twijfelachtige woorden:

*'When the ear heard her, then it blessed her; and when the eye saw her, it gave witness to her, because she delivered the poor that cried, and the fatherless, and him that had none to help him.'*

Direct bij thuiskomst ben ik *Wuthering Heights* weer gaan lezen. Ik kwam het allemaal tegen: de beschrijving van het op High Hall lijkende huis, de elvenspelonk, het dal van Gimmerton, de corrupte notaris, en vooral Nelly Dean, die ten slotte over de Earnshaws en de Lintons verhaalt.

Ze beschrijft de vondeling uit Liverpool als 'een vuil, haveloos, zwartharig kind' dat telkens iets 'herhaalde in een brabbeltaaltje dat niemand kon verstaan'.

Linton Sr. merkt op, wanneer hij Heathcliff voor de eerste keer ziet: 'Ik durf te wedden dat hij die vreemde aankoop is die wijlen mijn buurman op zijn reis naar Liverpool heeft gedaan.'

Isabel Linton, die Heathcliff ontvlucht, spreekt over 'zijn zwarte gezicht' en 'scherpe kannibalentanden'.

Na de dood van Catherine sluit Heathcliff zich op en Nelly zegt: 'Daar is hij gebleven, biddend als een methodist; alleen is de godheid die hij aanriep gevoelloze stof en as; en wanneer God werd toegesproken werd Hij merkwaardigerwijs verward met zijn eigen zwarte vader!'

Ik herlas ook *Jane Eyre*, stuitte op de kolonel en Mrs. Dent, de erfenis van oom John en de Masons. In het begin van het verhaal zegt Jane tegen haar akelige neef – die eveneens John heet en later door drank en speelschulden ten onder gaat –: 'Je bent precies een slavendrijver!'

Van de (illegale) slavernij wordt in beide boeken niet gerept.

De boeken vertonen overeenkomsten, maar talrijker zijn de verschillen. *Jane Eyre* is een ontegenzeggelijk knap geschreven boek, maar het is braaf, vergevingsgezind, moralistisch.

In *Wuthering Heights* kun je vrijwel geen bladzij opslaan of er wordt gescholden, vervloekt, gekwetst. Het is een driftig, onheilspellend, rauw boek. Soms is het droevig – ach, de regels die Nelly Dean zingt als ze Hareton wiegt:

De kindertjes huilden, in het holst van de nacht,
En dat hoorde hun moedertje onder de grond.

Toen het in 1847 verscheen kreeg het nauwelijks, in tegenstelling tot *Jane Eyre*, een goede recensie. Het werd niet begrepen, beledigd en geminacht.

Wat me deze keer bij lezing opviel, is – behalve dat ik het boek veel intrigerender en mooier vond – een venijnige humor. Op de eerste plaats bij de schijnheilige Joseph die: 'De Here stoa me bij', af en toe zijn neus om de hoek steekt om zijn afkeurend woordje te doen. Maar ook Nelly blijkt een enkele keer een spitse tong te hebben. Tegen de dronken, haar met een mes bedreigende Hindley Earnshaw zegt ze: 'Maar ik houd niet van dat vleesmes, meneer Hindley, er zijn bokkingen mee gesneden – ik zou liever doodgeschoten worden, alstublieft.'

Even later zegt Hindley over Hareton: 'Vind je niet dat de jongen er beter uit zou zien als zijn oren werden afgeknipt? Een hond wordt daar feller van en ik houd wel van fel – haal eens een schaar – van fel en kortgeknipt!'

En dan is er het geklaag en gemopper van de jonge Linton, in de ogen van Nelly een kleine ellendeling. Vlak na een tumultueuze scène zegt hij: 'Mevrouw Dean, ga weg. Ik vind het niet prettig als u zo over me heen staat. Maar Catherine, je laat je tranen in mijn kop vallen! Dat drink ik niet op. Geef me een andere kop.'

Er is veel over *Wuthering Heights* geschreven. Over het incestueuze karakter bijvoorbeeld. Nu is daar ook best wat van te zeggen. Maar wanneer ik denk aan een nogal afgelegen plaatsje als Dent en me voorstel dat er geen auto's zouden rijden en de trein niet langer het station aandeed, dan vraag ik me af hoe lang het zou duren voor een zo geringe populatie uit verwanten bestond.

De belangrijkste drijfveer, een voortdurende ondertoon in het boek, is de liefde, onmogelijk, onbevredigend en toch volmaakt. In zijn essay over Emily Brontë (in *Het eeuwige moment*) schrijft Maarten 't Hart dat Catherine Earnshaws uitspraak: 'Nelly, ik bén Heathcliff' de kern vormt van het boek. Dat is waar. Het is Heathcliff die daaraan de fraaiste gestalte geeft. Hij zegt Nelly: 'Ik zal je vertellen wat ik gisteren gedaan heb! Ik heb de doodgraver, die het graf van Linton aan het delven was, de aarde van haar kistdeksel laten scheppen, en ik heb het geopend. Ik dacht even dat ik daar wou blijven toen ik haar gezicht weer zag – het is nog steeds het hare – hij kreeg me met moeite van mijn plaats; maar hij zei dat het zou veranderen, als er lucht bij kwam, en dus heb ik één kant van de kist losgeslagen – en er weer tegenaan gezet – niet de kant van die verrekte Linton! Ik wou dat hij in lood gesoldeerd was – ik heb de doodgraver omgekocht om die zijkant weg te trekken wanneer ik daar ter aarde word besteld, en ook de zijkant van mijn kist – ik zal er een speciale kist voor laten maken, en tegen de tijd dat Linton bij ons komt weet hij niet wie wie is!'

Nelly vraagt: 'En als ze vergaan was tot stof, of nog erger, waarvan had u dan gedroomd?'

'Dat ik samen met haar verging en nog gelukkiger was!' antwoordde hij. 'Dacht je echt dat ik bang was voor een dergelijke verandering? Ik verwachtte zoiets toen ik het deksel optilde, maar ik vind het prettiger dat het pas begint als ik kan meedoen.'

De zusters Brontë werden, wonend aan het kerkhof, van kinds af aan geconfronteerd met de tijdelijkheid van het bestaan. De kuilen die ze zagen graven, de kisten, de rouw: hoe groot moet hun verlangen naar eeuwigheid zijn geweest.

Anne Brontë schreef:

> Cold in the grave for years has lain
> The form it was my bliss to see;
> And only dreams can bring again
> The darling of my heart to me.

Emily ging verder in haar hunkering. Ze schiep een onophoudelijk bedreven liefde, maakte het vergankelijke onvergankelijk en schonk een onsterfelijk boek.

Ellis Bell, died 1848, aged 30.

Acton Bell, died 1849, aged 28.

Currer Bell, died 1855, aged 39.

De pseudoniemen van de drie zusters. B van Brontë. A van Anne, C van Charlotte.

Ellis. E van Emily. Sill.E.

Ik ben aardig van George Hodgson afgedwaald. Maar niet helemaal. Ook vampiers staan voor een zekere eeuwigheid, al is het een macabere.

Jane Eyre zegt, nadat ze 's nachts bezocht is door de

waanzinnige: 'Zal ik u zeggen waar het gezicht me aan deed denken? Aan dat afschuwelijke, Duitse, bloedzuigende spook – de vampier!'

En Nelly Dean over Heathcliff, vlak voor zijn einde: 'Is hij een lijkenvreter of een vampier? vroeg ik me af. Ik had over zulke afschuwelijke, vleesgeworden demonen gelezen.'

'Wanneer u goed kijkt,' had Mrs. Lyon gezegd, 'kunt u zien dat er hier en daar negerbloed door de aderen stroomt.'

In de Sun Inn zag ik het niet. De mensen waren bleek, hun neuzen smal, hun lippen dun. Wat wel opviel, was een geluid. Een geluid dat aan een bar op een tropisch eiland deed denken: getikkel op hout. Ik draaide me om en zag vier oude mensen domino spelen.

In mijn kamer was alleen een ver geroezemoes te horen.

Buiten was het doodstil. Boven Rise Hill hing een witte mist die langzaam naar het dal afgleed. Tussen de groene heuveltjes van het kerkhof was het al wat dampig. Het was benauwd. Ik schoof de onderste helft van het raam omhoog en ontdekte dat er voor de zestien ruitjes een extra laag glas was gezet.

Alsof die oude Hodgson toch nog eens gebruik zou kunnen maken van zijn duistere krachten en via een kier zou binnenglippen om zijn tanden in een nietsvermoedende gast te boren.

Ik moest niet vergeten waarom ik hier was.

Dent. Dentist. Denta (plaatsje in Roemenië, aan de weg naar de Karpaten).

Ik sloot de gebloemde gordijnen en knipte het lampje op het nachtkastje aan.

Ineens, in dat licht, zag ik de kast in de hoek naast het raam staan. En het is met een lichte huivering wanneer ik aan dat volstrekt wezenlijke beeld terugdenk: het was een kist, een smalle kist, rechtop, een lichaam lang.

'...een smalle kist, rechtop, een lichaam lang.'

# Een doodkist op de schrijftafel

Er valt een keppeltje op mijn schoot. Voorzichtig leg ik het op de leuning, bij het hoofd van de eigenaar die even later luidruchtig begint te snurken.

'Hoor je?' zegt de Amerikaanse naast me tegen haar man. 'De motoren doen het weer.'

Het vliegtuig staat al drie uur aan de grond. Het had gestampt als een schip dat tegen de storm in koerst. En toen het aan het eind van die verschrikkelijke overtocht kalm boven het dichte wolkendek gleed en de motoren geruststellend monotoon bromden, bleek die rust schijn: 'Dames en heren, uw gezagvoerder hier. U heeft misschien al gemerkt dat we rondcirkelen...'

Ten slotte week het uit. Naar Boston.

Boston, of all places.

Boston, waarover Elizabeth Arnold Poe achterop een schilderijtje van de haven schreef: 'Hou van Boston, zijn geboorteplaats, waar zijn moeder haar beste en dierbaarste vrienden had.' Ze stierf in Richmond en liet het schilderijtje na aan haar zoon. Edgar Poe was, op een maand na, drie jaar oud.

Boston, waar Poe zijn toevlucht zocht na een ruzie met zijn hatelijke stiefvader, John Allan, handelaar in tabak, koffie, wijn en slaven.

Boston, waar Poe's eerste boek verscheen: *Tamerlane and other Poems*, 'by a Bostonian', in een oplage van vijftig exemplaren.

Boston, waar Poe vervolgens, achttien jaar oud, straatarm en dakloos, in dienst trad als soldaat te Boston Harbour, in Fort Independance. Vandaar stuurde hij zijn stiefmoeder brieven die hij dagmerkte alsof ze uit St.-Petersburg kwamen.

Boston, waar Poe, ondanks de aanbeveling van zijn moeder, niet veel tijd doorbracht. De laatste maal dat hij er was, moest de laudanum uit zijn maag worden verwijderd.

'Je moet maar zo denken, je kan ook zeven dagen in Dubai staan,' zegt iemand achter me troostend tot zijn metgezel.

Maar we staan op het vliegveld van Boston, aan zee. Vanaf mijn plaats zie ik buiten alleen maar water. Opnieuw lijkt het toestel een schip, een schip dat van een gezwollen zee een baai is binnengevaren.

Wat Marie Bonaparte, schrijfster van de lijvige psycho-analytische interpretatie van Poe's werk, hierin zou zien als het geen werkelijkheid maar fictie was, is simpel. De zee staat voor moeder, een schip voor de moederschoot, water voor moedermelk, bloed, en het verlangen in de moeder terug te keren of eraan te gronde te gaan.

Zeven uur later rijd ik in een taxi door New York. Het water gutst langs de ruiten, troebel van het vet. De chauffeur hangt over het stuur, met zijn neus bijna tegen de voorruit en zegt: 'Shit, dit is gevaarlijk...'

Hij is de weg kwijt, we rijden door een spaarzaam verlichte buitenwijk vol lange, diepe plassen. Stijf van angst zit ik op de achterbank en denk aan niets.

'Shit man, dit is gevaarlijk...'

Achter in het register van Bonapartes boek is het aantal verwijzingen naar Moeder: 104 x, Alcoholisme: 70 x, Impotentie: 58 x, Oedipus: 43 x, Penis: 42 x, Phallus: 31 x, Castratie: 40 x, Kannibalisme: 9 x, Sadisme, Sado-masochisme, Necrofilie en Sado-necrofilie: 78 x.

In het voorwoord schrijft Freud: 'In dit boek laat mijn vriendin en leerlinge Marie Bonaparte haar psycho-analytisch licht schijnen over het leven en werk van een groot schrijver met pathologische verschijnselen.'

De hoofdpersoon in het verhaal 'The Black Cat' zegt tot de lezer: 'Later zal er misschien een verstandig mens zijn die deze nachtmerrie weet terug te brengen tot iets alledaags – iemand met een rustiger, logischer en heel wat minder opgewonden geest dan de mijne, die in de gebeurtenissen die ik vol afschuw vertel, niets dan een gewone opeenvolging van heel natuurlijke oorzaken en gevolgen zal zien.'

In het aparte licht van Bonaparte, brandend op haar overtuiging dat Poe, als alle schrijvers, door zijn onderbewustzijn werd gedicteerd, zien de gebeurtenissen en voorwerpen er zeker anders uit. Zo blijkt de zwarte kat een vrouwelijk geslachtsorgaan, het uitsteken van het katte-oog een castratie, en het vat rum of gin waarop de kat in het obscure kroegje ligt, de moederborst.

De symbolen liggen in Poe's verhalen voor het grijpen: adem, brug, sigaar, afgebroken nagel, kelder, put, schoorsteen, mes, bijl, pijl, mond, tanden. Het rammelt er van de geslachtsdelen.

En dan is er de dode moeder die telkens verrijst in

de onbereikbare, ziekelijke of gestorven vrouwen. Ze zijn getekend naar haar bleke gezichtje met de donkere ogen en krullen op het miniatuur dat Poe, naast het schilderijtje van de haven, van haar erfde. De prinses beweert dat Poe, door de eeuwige trouw aan zijn dode moeder, een necrofiel werd. En: 'Als die necrofilie niet was onderdrukt, was Poe ongetwijfeld een misdadiger geweest.'

Het meest twijfelachtige aan deze uitspraak is het woord 'ongetwijfeld'.

Onderdrukt een schrijver wel zoveel? Hij kan de wereld ondraaglijk vinden, maar achter zijn schrijftafel heeft hij macht. Macht om zich te uiten. Macht om de werkelijkheid naar zijn hand te zetten. Macht om lief te hebben, zich te wreken, personages tot leven te wekken, en ze vervolgens op iedere denkbare manier uit de weg te ruimen.

Bij Poe komen er heel wat aan hun eind. Een verminkte dochter, ondersteboven in de schoorsteen. Een moeder met het hoofd zo ver afgesneden dat het, wanneer ze wordt opgetild, losraakt. Een vrouw die, gewurgd met een strook kant, uit de Seine wordt gevist. Zeven ministers en hun koning die vermomd als Orang Oetans in het vuur omkomen. Een doodgeslagen en ingemetselde echtgenote. Een man die levend wordt ingemetseld. Een man die door een brughek wordt onthoofd en, als de transcendentalisten de begrafenisrekening niet betalen, wordt verkocht als hondevoer. Een man die, in stukken gesneden, onder de vloer wordt verborgen. Een vrouw die voor een schilder poseert en wegkwijnt bij elke streek verf die haar op het doek verlevendigt. Een man die inslaapt bij een vergiftigde kaars. Een man die wordt opgegeten.

Voeg daarbij de naamloze slachtoffers en de be-weende doden uit de gedichten en de dodenlijst is lang.

De prinses verzucht dat haar lezers wel zullen pro-testeren wanneer ze stelt dat niet alleen bij Poe en Baudelaire, maar diep in hen allen een lustmoorde-naar schuilt. En onverbiddelijk zegt ze: 'Niettemin, het is zo.'

'Ja, dat weten we wel,' zegt de lezer.

'Onzin,' zegt een ander in alle onschuld.

Poe schreef ook verhalen als 'The man that was used up', 'Doctor Tarr and Professor Fether', 'The Spectacles', 'Lionizing', verhalen die doen denken aan *Monty Python* en *Blackadder*. Nee, ik dwaal niet af. Ik ga me hier ook niet afvragen of hij die 'Engelse humor' bezat omdat zijn moeder van Engelse en zijn vader van Schots-Ierse afkomst was. Of dat het zou komen omdat hij van zijn zesde tot zijn elfde jaar in Engeland woonde en op een kostschool belandde waar kinderen schrijven leerden door de grafschriften op het plaatselijke kerkhof over te schrijven. Wat al-leen opvalt is dat deze verhalen lang niet zo populair zijn als die andere, morbide, ijzingwekkende.

Zijn verhalen en gedichten leverden Poe vaak niets op. 'The Raven' maakte hem beroemd, maar Poe ver-kocht het gedicht voor tien dollar. In het buitenland werd zijn werk soms zonder ondertekening gepubli-ceerd, vertaalrechten bestonden niet. Pogingen een eigen literair tijdschrift van de grond te krijgen, faal-den. Kansen op succes verspeelde hij. Een bezoek aan

Poe in 1848 (Foto: Samuel W. Hartshorn)

het Witte Huis ging niet door vanwege dronkenschap. Een baantje als inspecteur op een douanekantoor was daardoor ook van de baan. Armoe, alcohol, en de foltering Virginia, zijn jonge vrouw, aan de tering te zien wegkwijnen, knakten hem.

Door met zijn scherpe pen andere literatoren af te ranselen, maakte hij het voor zichzelf nog moeilijker. Maar zijn grootste fout was de omgang met Rufus Wilmond Griswold, een man die hij ooit met zijn kritiek aanviel, maar later aan zijn borst drukte. Poe benoemde de wraakgierige Griswold tot zijn literair executeur.

Hij was nog niet begraven, of Griswold begon met zijn campagne van leugens en halve waarheden die de posthume waardering voor Poe lelijk overschaduwde. Hij maakte hem uit voor een man zonder moraal en eergevoel, voor een deserteur, voor 'een gek die constant onder de invloed van drank en drugs verkeerde'. (Dat alleen al is belachelijk als je ziet hoeveel Poe heeft geschreven. Zo'n produktie is alleen mogelijk door hard werken.)

Griswold deinsde er niet voor terug Poe's brieven te vervalsen. Hij beweerde rustig dat Poe en zijn schoonmoeder 'een misdadige verhouding hadden'. Uit brieven van mensen die Poe, Virginia en zijn schoonmoeder kenden, blijkt het tegendeel. Maar het kwaad was geschied; Griswold maakte van Poe's leven een gruwelverhaal.

Baudelaire die, geobsedeerd door Poe, zijn werk zeventien jaar lang vertaalde, noemde Griswold een 'pedagoog-vampier'. En woedend vroeg hij zich af of 'Amerika geen geschut bezat om honden van het kerkhof te weren'.

Terwijl Baudelaire Poe in Europa liet verrijzen, verdween hij in Amerika min of meer van het toneel.

De Shakespeare Society voorkwam dat het huisje waar Poe de laatste jaren met Virginia en haar moeder woonde, gesloopt werd. New York rukte verder op en in 1913 werd het huisje honderdvijftig meter verplaatst.

Poe betrok het in 1846, in de hoop dat de buitenlucht op het boerenland Virginia zou genezen, maar ze stierf nog geen jaar later.

Het witte, houten huisje staat in het kleine Poe Park, midden in de lawaaiige Bronx. Het is zoals een van de dames die de zieke Virginia bezochten het beschreef: 'Zo'n keurig net, zo'n armelijk, zo'n schaars gemeubileerd en toch zo'n bekoorlijk woninkje.'

Als het buiten vriest, kan de bezoeker, comfortabel verwarmd, een blik werpen in het kamertje naast de woonkamer. In de ijzige winter van 1847 waren het de kat Catterina en Poe's oude legerjas die Virginia in dat kamertje warm moesten houden.

Op de dag van de begrafenis werd de kist met Virginia op Poe's schrijftafel gezet. Omdat er geen portret van haar bestond, maakte een van de dames een waterverfportretje dat later werd bijgewerkt: de gesloten ogen werden geopend.

Van dichtbij had Poe het sterfbed van zijn moeder meegemaakt. En nu was zijn vrouw hem door dezelfde Rode Dood ontnomen. Poe klampte zich vast aan zijn schoonmoeder, leed aan slapeloosheid, en wandelde veel over Aquaduct Path, vanwaar hij uitzicht had over bossen, weiden, boerderijen, het kerkhof waar Virginia lag, en de rookpluimen en zeilen van schepen.

De student die het huisje beheert, kent alleen een paar populaire verhalen en denkt een slimme indruk te maken als hij opmerkt: 'Ze zeggen wel eens dat de vertaling van zijn werk beter is.'

Ik vraag hem of Aquaduct Path nog bestaat.

'Ja, dat is hier niet ver vandaan,' zegt hij. 'Maar ik zou daar maar niet naar toe gaan. Veel te link.'

Tien minuten later loop ik over een pad met hoge, schuine, met gras begroeide kanten. Het is een eigenaardig pad. Het is of het hier niet op zijn plaats is. En ik begrijp ook waarom: ik loop er niet *over*, maar er*op*. Ik loop op een dijk, dwars door de stad.

Het is een lange dijk. De huizenblokken worden naargeestiger. En wanneer het pad onderbroken wordt door een rommelige straat, besluit ik de woorden van de student niet langer te trotseren en sla linksaf. Groentewinkels, kledingwinkels, stoffige radio- en televisiezaken, een karretje met hot dogs, kraampjes met meloenen, kokosnoten, sandalen, opwindbare, kwispelende hondjes.

De straat voert naar een brug, met aan weerszijden een rekruteringskantoortje voor leger en marine. Twee zwarte mariniers in witte pakken delen folders uit.

Op een groot reclamebord staat: ARM YOURSELF. IT'S A JUNGLE OUT THERE. Ik denk dat het een waarschuwing is voor de nieuwe, teisterende Rode Dood. Maar nee, de voorbijganger wordt aangeraden een handelsdiploma te behalen.

Na een succesvolle lezing in Richmond over zijn favoriete onderwerp *The Poetic Principle*, reisde Poe op 27 september per boot naar het noorden en onderbrak zijn reis in Baltimore. Wat er is gebeurd, waar hij uithing, is niet bekend. Op 3 oktober werd hij, half bewusteloos, op straat gevonden. Hij stierf vier dagen later.

'Hier vonden ze hem,' zegt Mr. Jeff Jerome en rijdt langzaam langs een braak liggend terrein. 'Er werden die week verkiezingen gehouden. Het was een corrupte bende in die tijd. Baltimore holt zichzelf altijd uit. Nu weer door de vakbonden.'

Hij rijdt door een vervallen straat.

'Dit heette altijd Jew Street. De burgemeester vond het een discriminerende naam en maakte er Corned Beef Row van, omdat dat in veel winkels verkocht werd. Maar de Joodse gemeente is er kwaad om.'

'Ik las in Nederland dat skinheads een betoging mochten houden tegen de komst van joden uit Rusland.'

'O, dat is met een sisser afgelopen. Maar dat u dat weet...!' Hij heft zijn handen van het stuur waardoor ik ineens zie dat de middelvingers van zijn linkerhand één brede vinger vormen. 'Zo'n geruchtje, God, en dat helemaal in Europa!'

'Bent u er wel eens geweest?'

'Nee, wel in Japan.'

Mr. Jerome schat dat hij ongeveer de helft van Poe's werk heeft gelezen. Hij beheert de sleutel van het huis in North Amitystreet waar Poe woonde van 1832 tot 1835. Het huis is tijdelijk gesloten, vanwege een overstroming, maar als ik beloof niet op de rommel te letten, mag ik naar binnen.

In een buurt waar de armoe alleen al zichtbaar is

aan het feit dat er nauwelijks auto's staan, stopt Mr. Jerome naast een telefooncel en zegt: 'Het is twee straten verder, maar ik moet even de politie bellen om het alarm te laten afzetten.'

Het is een hoekhuisje van amper drie bij zes meter. Naast de blinde zijmuur staan twee zwarte vrouwen de poten van een tafel te zagen.

'Toen Poe hier woonde was het de helft kleiner,' zegt Mr. Jerome.

Hij draait de sloten van de deur en doet het licht aan. 'Later is er tien voet aangebouwd.' Zijn hand met de etuivormige vinger wijst naar het achterkamertje waar meubels en serviesgoed op een hoop liggen. 'De kelder stond blank door die overstroming. Het was afschuwelijk. Het was namelijk geen schoon water, het was het riool.'

Ik vraag hem maar niet of hij het boek van de prinses kent.

Boven, in de voormalige slaapkamer van Virginia en haar moeder en grootmoeder, staan een vitrine en een kastje. In de vitrine ligt de pagina uit de *New York Tribune* waarop, tussen berichten over appel- en druivenoogst, Griswolds In Memoriam staat. Ik lees: 'Edgar Allan Poe is dead. He died in Baltimore the day before Yesterday. This announcement will startle many, but few will be grieved by it.'

'Het is met Griswold slecht afgelopen,' zegt Mr. Jerome opgewekt. 'Hij had een vreselijke echtscheiding, zijn dochter stierf, hij kreeg de tering en zijn huis brandde af.'

In het kastje staan, achter een stuk karton met *Happy Birthday Edgar*, een paar cognacflessen en een vaasje gedroogde rozen.

Poe's huis in Baltimore

Mr. Jerome vertelt: 'Elk jaar komt er 's nachts, op Poe's verjaardag, een onbekende man op het kerkhof. Hij giet een fles cognac – altijd Franse – leeg over Poe's graf en legt drie rozen neer. We hebben geen flauw idee wie deze geheimzinnige figuur is.'

'U doet het toch niet zelf?' zeg ik een beetje schertsend.

'Nee zeg, dat kan niet met mijn baan. Ik werk officieel voor de stad, veronderstel dat ze zouden ontdekken dat ik zoiets deed voor de publiciteit... Ik *kan* het niet eens doen, want ik doe dit werk tien jaar en die man komt al bij dat graf vanaf 1949. Het zal nu wel een zoon of zo zijn die het doet, het is een traditie aan het worden. *Time Life* heeft er nu ook interesse voor... En dan is hier recht boven het zolderkamertje waar Poe sliep en werkte. Bekijkt u dat rustig even alleen.'

Ik begrijp wel dat Mr. Jerome geen zin heeft in dat nauwe, steile trapje. En ik kan me ook voorstellen dat Poe in dit huisje op zijn verhaal 'Loss of Breath' kwam.

Ik kijk langs de opgezette raaf voor het raam naar buiten. Aan de overkant zitten drie zwarte vrouwen op de stoep besmuikt te giechelen. Het onderwerp van hun pret staat een paar meter verderop Poe's huisje te bekijken. Het is een stevig gebouwde Schot in kilt. Als hij wegwandelt, kaarsrecht, de handen op zijn rug, barsten de vrouwen in lachen uit.

Baltimore biedt, getuige de *City Paper*, weinig vertier. Achter in het blad staan veel contactadvertenties, die steevast de huidkleur vermelden. In een grote advertentie vraagt een ziekenhuis vrijwilligers voor een Stu-

Het raam in Poe's werkkamer

die over Paniek en Fobieën: 'Zij die last hebben van duizeligheid, kortademigheid, hartkloppingen, misselijkheid, gevoelens van onwezenlijkheid, angst om gek te worden of doodsangst, gelieven te reageren.'

In 1976 eerde de stad haar dichter met een opera: *The Voyage of Edgar Allan Poe*. Het verhaal speelt zich af in een haven en aan boord van een schip. Bladerend in het libretto zie ik dat Griswold een hoofdrol heeft en dat het koor regels uit Poe's gedichten zingt. Veel 'Bells! Bells! Bells!' en 'Ulalume... Ulalume...'

Poe's werk inspireerde tot meer dan tweehonderd muziekstukken, waarvan de meeste gewijd zijn aan zijn poëzie. Al in 1850 werd 'The Raven' op muziek gezet en tot ver over de grens gezongen: 'Nevermore', 'Jamais plus', 'Nimmermehr', 'Kolokola', 'Bubbolini'.

Jarenlang probeerde Debussy twee opera's te schrijven op 'The Fall of the House of Usher' en 'The Devil in the Belfry'. In een brief aan zijn uitgever schreef hij: 'Ik val met ze in slaap en ik word wakker met de droefgeestigheid van de een of de spotlach van de ander.' Hij kwam helaas niet verder dan eenentwintig pagina's voor Usher en vier pagina's voor The Devil.

'Die opera is toen geflopt,' zegt Mr. Jerome. 'Het was een wanprodukt.'

De opmerking zou ook op de stad kunnen slaan, waar de fantasieloze nieuwbouw lukraak is neergezet.

De architectuur van de oude huizen die gespaard zijn en het grote, uit rode baksteen opgetrokken hospitaal waar Poe overleed, is onmiskenbaar Engels.

Poe's graf ligt in de schaduw van Westminster

Church, direct achter het hek naast de ingang van het kerkhof.

'Laten we eerst naar achter lopen, waar Poe vroeger lag,' zegt Mr. Jerome. Hij tikt met de punt van zijn schoen op de tegels. 'De kerk is nu van de universiteit en het is jammer dat die op het ogenblik gesloten is, want hieronder zijn catacomben. Ik neem er wel eens een kijkje. Daar is niets engs aan, ik ben alleen bang van de levenden.'

Op de steen van het voormalige graf staat dat Poe er tot 17 november 1875 lag.

'Is dat wel zo zeker?' vraag ik Mr. Jerome. 'Het gerucht ging dat het leeg was.'

'Verzinsels. We hebben het terdege laten onderzoeken en het is niet waar.'

'Door hem weer op te graven?'

'Nee nee, dat was niet nodig. De doodgraver heeft er destijds getuigenis van afgelegd dat Poe erin lag. Er zat zwart haar aan het hoofd.'

Ik lach inschikkelijk en loop terug naar het monument waaronder Poe rust tussen Virginia en haar moeder.

Toen de graven werden geruimd op het kerkhof waar Virginia lag, redde Poe's biograaf William Gill haar beenderen. Hij bewaarde ze onder zijn bed tot ze in 1875 naar deze plek reisden. Het verkeer raast erlangs en vlakbij boren en branden gehelmde arbeiders met een snerpende herrie in het karkas van de zoveelste torenflat. Maar Baltimore ligt, hoe dan ook, aan zee. En de laatste regels uit 'Annabel Lee' zouden hier gekerfd kunnen staan:

*And so, all the night-tide, I lie down by the side*
*Of my darling – my darling – my life and my bride,*
*In the sepulchre there by the sea,*
*In her tomb by the sounding sea.*

Het heeft iets absurds bij het graf te staan van de man die het levend begraven zo verstikkend beschreef (en er de draak mee stak).

Als hij er ligt.

Mr. Jerome staat te wachten. Waarom zou ik hier zelf ook nog langer blijven? Ik vind het niet bepaald aangenaam bij een graf te staan.

Of hij er nou wel of niet ligt.

Zijn gruwelverhalen zijn niet zomaar gruwelverhalen. Het effect dat ze op me hadden toen ik ze in mijn jeugd las, was anders dan de huivering bij 'suspense': ze tastten iets aan.

'The Man of the Crowd' is een verhaal zonder slachtoffer, zonder zelfs een druppel bloed, en het is het mooiste, meest beklemmende verhaal over eenzaamheid dat ik ooit las. Toch is het niet uit bewondering dat ik hier nog steeds sta. Ik zet niet graag een stap in het verleden en van nostalgie heb ik doorgaans een afschuw.

Ik loop nu ook weg, want daarnet zag ik nog hoe Mr. Jerome die zonderlinge vinger om een spijl van het hek vouwde, maar nu speelt hij met zijn autosleutels.

Het verhindert niet dat ik hetzelfde blijf denken: De kans is veel groter dat hij er niet ligt, althans niet helemaal. De negentiende eeuw bracht grote schrijvers voort. Baanbrekende schrijvers als Poe. De negentien-

de eeuw was ook een eeuw van uitvinding en wetenschap. Poe heeft meer dan eens verhaald over de expedities en onderzoekingen van zijn tijdgenoten. Zo schreef hij ook over een wetenschap die in die dagen zeer populair was: de frenologie, de schedelleer die de eigenschappen van de geest dacht te doorgronden.

Welke frenoloog moet niet nieuwsgierig zijn geweest naar het brein van een man die de meest fantastische verhalen liet spelen in Venetië, Rome, Parijs, Hongarije, Toledo, Rotterdam en Patagonië, terwijl hij, buiten zijn kinderjaren in Engeland, niet verder kwam dan Charleston? Een lijk was voor een habbekrats gekocht en opgegraven.

Maakt het uit waar Poe zich bevindt? Onsterfelijkheid heeft duizend huizen. Waar het het stoffelijke betreft, geef ik niet direct de voorkeur aan een brein op sterk water. De verteller van 'Some Words with a Mummy' geeft aan het slot zo'n veel aardiger eind: 'De waarheid is dat ik meer dan genoeg heb van dit leven en van de negentiende eeuw in het algemeen. Ik ben ervan overtuigd dat alles verkeerd gaat. Bovendien wil ik erg graag weten wie er in 2045 president zal zijn. Daarom ga ik me gauw scheren, giet een kop koffie naar binnen, loop meteen naar dokter Ponnonner en laat me balsemen voor een paar honderd jaar.'

# Lijn elf

Al jaren ben ik niet meer op het Haagse Hollands Spoor geweest. Dit oude station met het gebogen plafond van hout en de glazen koepel, waarin het gele glas precies de kleur van de treinen heeft.

Nog veel langer is het geleden dat ik in de uitzonderlijkste tram van de stad stapte, de tram die een eigen circuit heeft en die het dichtst bij zee komt: lijn elf.

Maar ik herinner me haarscherp het begin- en eindpunt en wanneer ik het HS uitloop, sla ik linksaf naar de sierlijke overkapping, grenzend aan het station.

Er staat geen tram. Er bevindt zich niet eens een halte.

Vertwijfelder dan een toerist — ten slotte is dit mijn geboortestad — kijk ik om me heen. En ja, daar staat hij, midden op het Stationsplein. Hij heeft zijn fraaie stal verwisseld voor een gewone vluchtheuvel. Er staan weinig mensen te wachten, het is een doordeweekse ochtend. Zodra de conducteur op zijn plaats zit, kan worden ingestapt. Ik zoek een plaatsje achterin aan het raam en voel me bijna als een kind op een stilstaande draaimolen. (Wanneer gaan we nou? Wanneer *gaan* we nou?)

We vertrekken vrijwel meteen. De hoek om, langs de overkapping, en dan over de rails van de onveranderde route, afgeschermd door struiken en hekwerk. Dwars door de stad, dwars door mijn jeugd.

Rechts ligt de Parallelweg. Voor een kind is een betere uitleg van het begrip 'parallel' nauwelijks denkbaar, zo strak als de straatweg ligt naast de trambaan, die op haar beurt evenwijdig loopt aan de spoorbaan. Veel van de buurt van hofjes en hoeren, waar je bij het zien van de rood verlichte vensters de spanning van de stad rook, is gesloopt. Er is nieuwbouw tussen gezet, een enkel huizenrijtje is gespaard.

Samen met de Parallelweg buigt lijn elf af in westelijke richting, langs de schilderswijk waar ik de eerste jaren van mijn leven woonde. De wal van woningen biedt een permanente tentoonstelling van vitrages. Gesloten of half open hangend, van gladde stof tot woeste kant, in verschillende wit- en pasteltinten, in lagen, in stroken, lustig gedrapeerd, als taarten, als petticoats, als zeeschuim.

Links glijdt een autokerkhof voorbij, een café met de naam Autohandel Hollywood, en dan is er de halte bij de markt. Het terrein ligt er verlaten bij, hier en daar leunen stapeltjes hout en zeildoek tegen de lege kramen. Ik kwam er met mijn tantes. Ze kochten sinaasappels, lippestiften, ondergoed voor grootvader, een dobbelsteen die altijd zes gooide.

Voort gaat de tram. Langs de Delftselaan waar ik als twaalfjarige mijn eerste film zag die 'uitsluitend was goedgekeurd voor achttien jaar en ouder'. De titel was *Het vlees is zwak*. De beelden die me zijn bijgebleven, zijn die van een vrouw die zoutzuur naar haar rivale gooit. En van het slachtoffer dat later, in een duister kamertje, met een plotselinge ruk haar gezicht toont, dat voor de helft verfrommeld blijkt tot een spons.

Ik herinner me vooral mijn eigen onwennige, dappere stappen op de schoenen met naaldhakken.

De straat die nu parallel loopt, heet de Monstersestraat, genoemd naar het dorp Monster. Als kind stond het voor mij vast dat de straat haar naam te danken had aan de botsingen op de gevaarlijke kruising. Aan de overkant ligt een straatje van twintig kleine huizen. In het eerste bovenhuis woonden mijn grootouders met hun zeven kinderen. Buiten, naast het raam van de woonkamer, bevond zich het spiegeltje dat zicht bood op die kruising. Elk huis had zo'n spionnetje. Er is er nu niet één meer. Ook het glas in lood is verdwenen. Wanneer ik er logeerde, bleef ik wakker zolang ik kon, wachtend op de trams die iedere paar minuten langsreden en hun licht, veel sterker dan dat van de vuurtoren, door het betoverende glas wierpen. Ademloos keek ik naar het goudgeel en paars dat over het plafond gleed. Van links naar rechts: lijn elf naar het station. Van rechts naar links: lijn elf naar zee.

Voort, voort gaat de tram, tussen de reusachtige populieren door. Is de speeltuin er nog? Ik herinner me de oppasser met zijn verbandtrommel, mijn tantes flirtend op een bankje, de dichte struiken duinroos waar je bijna dronken raakte van de zoete geur.

Er schemert iets van schommels. En paarden. Paarden?

De tram maakt vaart, aan de rechterkant tikt en krast het groen tegen de ruiten. Links ligt de vuilverbranding, rechts de elektriciteitscentrale. Ooit vond ik die gebouwen angstaanjagend, nu heeft dit stadshart met de immense buizen en de puntige berg donkere sintels iets bekoorlijks voor me.

Hier begint het Afvoerkanaal. Op koude dagen hing er een damp boven het water. We dachten in de straat dat het een groot riool was waar de hele stad op loosde. Heldhaftige buurjongens zwommen erin.

'Tussen de drollen,' zei de een.

'Tussen de ratten,' zei de ander.

'Daar kan je dood van gaan,' zei mijn grootmoeder. 'Eén voet in dat water steken is al genoeg.'

Er zit een visser. Een vertrouwd beeld. ('Die vissen niet voor de vis, kind, want er zit geen visje in. Die vissen om te zitten.')

De huizen langs de kade bezitten enige allure. Erachter ligt hetzelfde type huizen rug aan rug met nauwe arbeidersstraten.

Videotheek. Shoarma. Zonnebank. Nieuwe woorden op oude muren. En dan ineens de sportschool waar nog steeds in blauw en wit op de muur staat geschilderd: JUDO.

De tram is de Laan van Meerdervoort ('De langste laan van Nederland, kind.') gepasseerd en rijdt langs ruime, goed onderhouden huizen met de mooiste erkers. Het heet er ook geen 'buurt' of 'wijk' maar 'kwartier'.

Tussen de laatste haltes staan de flats en gerenoveerde woninkjes kriskras door elkaar. De hemel wordt steeds meer zichtbaar, een hemel die hier toch altijd lichter en tintelender is dan landinwaarts. Lijn elf mindert vaart en draait het kale pleintje op. De hekken die de strandgangers aan het eind van de dag dwongen op hun beurt te wachten, zijn verwijderd. De deuren zwaaien open: de zee ligt recht voor je, je hoeft alleen maar de weg over te steken. Ruik, adem diep in, kijk...

Even naar rechts staat het beeld van een Scheveningse vissersvrouw die net zo over zee uitkijkt. Op de sokkel, onder haar wapperende rok, is te lezen:

*Voor allen die uitvoeren*
*en niet terugkeerden*

En even naar links, bovenaan de trap van de dijk, prijkt een gedenknaald met op de punt een gouden bal. In het steen staat gebeiteld: *1813 God Redde Ons.* Niet vanwege een geslaagde reddingspoging tijdens noodweer, maar omdat de Fransen vertrokken en Willem I aan land kwam.

Nog wat verder ligt, verscholen, de vuurtoren, geschilderd in de roze-rode kleur van een luciferkop. De haven is nu dichtbij. Rook hangt boven de zalm- en palingrokerijen. Meeuwen zitten in rijen op de daken en cirkelen krijsend rond.

Ook op het strand, waaiervormig geribbeld door de vloed, zitten de meeuwen. In groepen langs het water of verspreid rondtrippelend tussen de groene afvalemmers, niet erg anders dan badgasten op een hete dag.

Bij de buitenhaven sla ik af naar het havenhoofd. Het wegdek is verbreed. Naast de oude havenhoofden voeren verlengde armen verder in zee.

Als kind ging ik dicht bij de rand staan en keek langs de steile muur naar de donkere, glibberige keien in de diepte. Je moest daar niet staan als het stormde. Een oom die er wel eens ging vissen, vertelde dat hij er iemand vanaf had zien waaien. 'En toen een tweede pal erbovenop,' zei hij om me te overtuigen.

De keien zijn vervangen door grote, vierkante blokken beton die hier en daar gelukkig al groen zien van het wier. Op één van de blokken aan het eind staat gekladderd: 'Wat een pokkeweer.'

Het doet er niet zo toe wat voor weer het is.

Hier leven alle zintuigen op. De zilte zeelucht, het zout op je lippen, de stad die met zijn geluiden achter je ligt: alleen de branding is te horen. Langzaam draai ik om mijn as, kijk naar de pier, de boulevard, de Strandweg, de haven, de duinen, en dan weer het water. God, wat houd ik van die uitgestrektheid en die onberispelijke horizon die laat zien hoe perfect rond de aardbol is.

Van Mensje van Keulen verschenen
bij De Arbeiderspers:

*Bleekers zomer*, roman
*Allemaal tranen*, verhalen
*Van lieverlede*, roman
*De avonturen van Anna Molino*, schelmenballade
*Overspel*, roman
*De ketting*, verhalen
*Engelbert*, roman
*De lach van Schreck*, reisverhalen

Bij Querido verschenen de kinderboeken:

*Tommie Station*
*Polle de orgeljongen*
*Vrienden van de maan*
*Van Aap tot Zet*